理容
スズキ
そば

インド旅日記

田舎の道路わきの畑にて。

53頁からの「インド駆けめぐり記」とあわせてお読み下さい。

撮影・さくらももこ

ガンジス川に浮かぶボートから見た、空と建物と人。

ガンジス川の日没。

ガンジス川にて。

汽車が通りすぎるのを待つための茶屋と客。

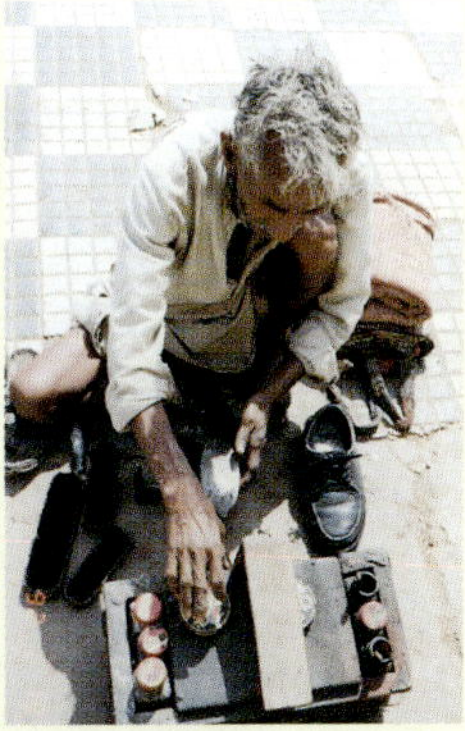

バラナシにて。靴みがきのおじいさん。

偶然に出会えたマハラジャ。

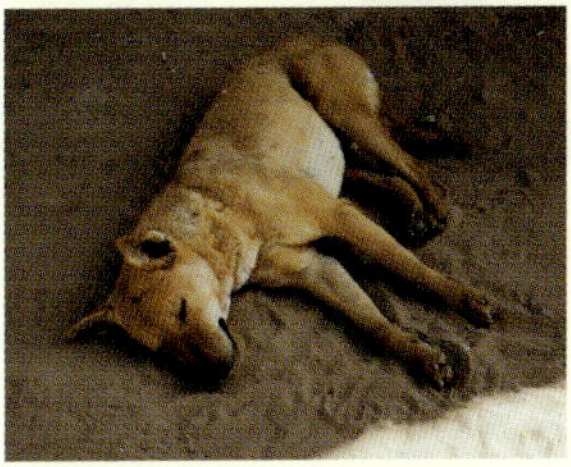

ひなびた町ダンドゥロッドでは、気持ちよさそうに、いたる所で犬が寝ていた。

さるのこしかけ
MOMOKO・SAKURA
おさる株式会社
1992

インドの道路は、何が何だかもうやたらとパワフルにごったがえしている。

ゆっくり流れている

インドはゆっくり流れている。
空も川も人も
全ての風景がゆっくり流れている。
一秒が長い。
大部分のインド人は
その風習と諦《あきら》めの底にいて
それでも生まれてしまった自分の生を
ずるずると引きずりながら
どうにかギリギリの笑顔を保ちつつ
あとはゆっくりした流れにまかせて
逞《たくま》しく生きている。

美しい物も汚い物も
絶頂もどん底も
全てを内包しているその宇宙は
良くも悪くもあり
良くも悪くもなく
それすらを内包しながら
ただゆっくり流れている。

さるのこしかけ

さくらももこ

集英社文庫

もくじ

本文デザイン　祖父江 慎＋コズフィッシュ

痔の疑いのある尻

——ぢかもしれない……。

ある日、そんな予感が私の全身をつらぬいた。最近どうもおかしい。ウンコをした後三分ほど、「ヒーヒー」とうめいてしまう。

私はフラリとよろめき、恐ろしさのあまりそのまま気が遠くなった。ぢとは、かなり厳しいものらしい。友人・知人・母親などから幾度となくその恐ろしさは伝えられてきた。ある者は「居ても立ってもいられない。もう、体を丸めてうめくだけだ」と語り、またある者は「尻《しり》の穴で壇《だん》ノ浦《うら》の合戦が始まったようだ」と語る。私の尻の穴はまだ壇ノ浦の合戦までは始まっていないが、農民の一揆《いっき》くらいは行われている気がする。

まずい。このまま放っておいたら、悪化して第一次世界大戦に突入してしまうかもしれない。早くなんとかしなければ……。

かつて、我が家の父ヒロシがイボ痔《ぢ》になった時のことを思い出した。彼は「いてェいてェ」と言いながら、妻の前に自分の尻を突き出し、痔の薬を塗ってもらうという致命的にバカげた姿を家族にさらした暗い過去を持つ男である。夫の肛門《こうもん》の突起物に薬を塗るハメになった母の情けなさは計り知れない。母が「自分で塗りゃいいのに」と脱力しながらつぶやいていたセリフが忘れられない。……そんな、父ヒロシのくだらない持病が、我が身にもふりかかろうとは。

私は気もそぞろになり、一日の生活時間の中で、尻の穴のことを考える時間がかなり増えてしまった。買い物に行こうとしてキンチャク袋を見たりすると尻の穴を思い出す。街を歩いている人の後ろ姿を見ても「あの人の尻の穴はどうだろうか」などと思ってしまう。そんなに気になるのなら、さっさと病院へ行ったらどうだ、と思うのだが、「病院へ行くほどでもない」という曖昧《あいまい》な痛みであるため、なかなか病院へ行く気にもならない。これが、決定的な痛みなら、私も病院へ行ったであろう。しかし、決定的なことがないかぎり、実行にうつさない性分なのだ。私のこういう性分は日常でもみられる。例えば冷蔵庫の中身などでも「まだ食べられるかもしれない」と思って腐りかけた食べ物を捨てずに保存しておく。どうせいつまで経《た》っても食べないのだが、決定的に腐るまで何となく捨てないでいてしまう。そして、いつしか決定的に腐ったのをしっかり見届けてからようやく捨てるのである。

私は、曖昧な痛みの尻の穴を気にしつつ、素知らぬ顔で何日も暮らしつづけていた。人前では「わたしゃ尻の穴なんて、痛くもカユくもないですよ」という涼し気な顔をしているが、独りになった時には週刊誌の「ヒサヤ大黒堂*」の広告を必死で読んだりしていた。ヒサヤ大黒堂の〝不思議軟膏《なんこう》〟は、その名の通り「アラ不思議!!」という感じで、きっと魔法のようにぢが治るに違いない。おまけに、誰にもバレないように包装して秘密にコッソリ送ってくれるというではないか。私は心強くなった。「いつも心にヒサヤ大黒堂を!!」という自分

＊痔の薬のメジャー・メーカー

11　　痔の疑いのある尻

だけのキャッチフレーズを心の奥に決め、万一のときはヒサヤがあるさ、と気楽に生きることにした。

そもそも、こんなもの、ぢではないかもしれないのだ。ウンコをした後、ちょっとだけ尻の穴の周辺がジンジンするだけではないか。そう思うと、なんだかジンジンしている感じも悪くない。肛門でジャズの特別演奏でもやってくれてる気がする。ジンジンに合わせて「ヘイヘイヘイ」と音頭をとるほど陽気な気分になってきた。

ところが、ある日の大便の後、肛門の特別演奏はジャズからベートーベンの〝運命〟に変わった。ジンジンからジャジャジャジャーンになってしまったのである。

私はトイレから出た後、しばらくカエルのように飛び跳ねていた。もう居ても立ってもいられない。風林火山《ふうりんかざん》大爆発である。

私の様子を見た夫が「何かうれしいことでもあったのか」と尋ねるので私は

やむをえず、「肛門が死ぬほど痛い」と打ち明けた。

夫は非常に驚いていた。まさか妻がぢの疑いがあるとは予想もしなかったという顔つきで「それは早く何とかした方がいい」と、うつむき加減につぶやいた。

夫の情報によれば、ぢにはドクダミの葉が効くという。知人がぢになった時、ドクダミの葉を揉《も》んで肛門に詰めたところ、ウソのように治ったというのだ。

本当だろうか。ヒサヤ大黒堂にすがる前にそれをやってみた方がいいだろうか。

私はかつて水虫がお茶っ葉で治ったことを思い出していた。民間療法というものは、意外とあなどれないものである。

その日の夜中、私はコソコソと近所の道端に生えているドクダミを採ってきた。三、四枚のドクダミの葉をよく揉み、青汁が出てきたところでトイレに入った。

ドクダミの汁は肛門にしみ、私は三回位「ヒィィ」と声をあげて腰を浮かした。しかしこれで治ると思えば安いものだ。私は痛みをこらえてドクダミ三枚分を尻に詰め、何事もなかったような顔をしてトイレから出、眠りについた。

よく朝、痛みはほとんどおさまっていた。驚くべき効果である。なんと役に立つ草が、この地球上には存在しているんだろう。もうどんなに辛《から》い物を食べても、太い便が出てもこわくない。ドクダミさえあれば肛門世界はパラダイスだ。

このように、私は〃お茶っ葉での水虫治療〃に加え、〃痔のドクダミ治療〃も体得したのである。これからも、何か体調に異変が起きたときには、まず身近なモノで治療できないか、という研究を地道にしてゆきたいと、しみじみ志している。

ポール・マッカートニーに会う

夫は、どうしようもないくらいビートルズが好きだ。とにかく〝ビートルズ〟と書いてあるもの全てにときめきながら生きている。ビートルズの誰かがボソッとつぶやいた言葉までよく記憶している。そして一日に五回は『レコードコレクター』などという雑誌に目を通し、ビートルズの珍しいレコードが出ている店をチェックしながら「ポール!!」だの「ジョン!!」だのとメンバーの名前を絶叫するのだ。

だから、一九八九年にポール・マッカートニーがワールドツアーを開始したときには大変であった。心の底から大変であった。

ちょうどその頃、私達は新婚旅行を予定しており、行き先は私の希望でスペインということになっていたのだが、ポール・マッカートニーがロスアンジェルスで公演するという情報が入ったため、行き先は急きょロスに変更となった。私は内心ガク然としたが、「ポールゥ、ポールゥ」と騒ぐ夫を前にして何も言えなかった。居ても立ってもいられない様子の夫の前に、スペインは風のごとく揺らめきながら姿を消したのである。

ロスに着いてから、彼はまさしく火の玉の男と化した。一メートル以内に近づくと熱が伝わってくる。熱い。

現地に着いて判明した追加公演のチケットをも手に入れるため、どんな手段もかまわないと言い切り、いろんな所にジャンジャン電話をかけまくっていた。私はヒマでヒマで仕方なく、ボンヤリしながら日本のスシのことなど考えるまに時間が漠然《ばくぜん》と流れていった。

夫はまんまとダフ屋から追加公演のチケットも手に入れた。そして「ポールポール」と叫びながらコンサート会場に向かった。

コンサートが始まると同時に夫は感激で男泣きしていた。そしてバッタのように飛び上がり、「ポールーッ」と大絶叫をし、力いっぱい手を振りながら泣き続けていた。私は、ポールよりも夫の姿の方が印象に残ったままコンサートは終わった。

それから一年程経ったある日、フジテレビの人から「今度、ポールにインタビューするという企画があるんですが、実はそれはロンドンなのですが、どうしますか？　行かれますか？」という誘いの電話をもらった。

我が家は雷《かみなり》が落ちたような騒ぎになった。夫は受話器を持ったまま「ギャーギャー」とのたうちまわり、甲子園《こうしえん》で優勝した高校球児のような目で「何があっても行きます」と電話口で叫んでいた。

私は急に決まったロンドン行きの話にうろたえ、「〆切りがまにあわないかもしれない」と涙声で訴えたにもかかわらず、夫は「原稿なんて描けなきゃ落とせ」というようなことを言い、♪ラララ〰〰と、雲の上まで登らんばかりにその足は地についていなかった。

ロンドン行きの飛行機の中で、夫はポールに渡すための手紙を書いていた。飛行機の中で眠らない彼の姿を見たのは初めてである。

夫は永年のポールへの想いのたけを英語に訳す作業がひとりでは間にあわないとあせり、「どうしておまえは英語ができないのだ。使えん」というような言葉を私に軽くあびせた後、英語の堪能《たんのう》なスチュワーデスをつかまえ、手分けをして長大な和文英訳作業にいそしんでいた。

こうしてJALの親切な乗組員を巻き添えにしつつ飛行機はロンドンに着いた。飛行機が落ちなくて本当に良かったと喜ぶ私をよそに、夫は「この空の下でポールが同じ空気を吸って生きているんだ」と早口で喋《しゃべ》りながら税関のチェックを受けていた。そして、聞かれてもいないのに税関の役人に「ポール・マッカートニーに会いに来た」などと告げ、役人の苦笑を後に残しホテルへ直行したのである。

翌日、いよいよポールに会う時が近づいてきた。同行のフジテレビの人は、

「どういう段取りでポールに会うことになっているのか、現場に行ってみないとちょっとわからないのです」と、頼りないセリフをボソッと語っていた。それでも、恐らく練習スタジオでの練習中のポールにインタビューをするというような形になるだろうと知らされていたので、私達は普段着のセーターとズボンでニヤニヤしながらホテルを出たのである。

ところが、現場に着いて私達は腰を抜かした。そこは公開録画用のコンサートホールになっており、インタビュアーはステージに上がって客の前でポールにインタビューをするというのだ。

私は体中の血の気がひいた。ザーッと音がする程に血の気がひいた。こんなことがあって良いものだろうか。そのうえ、この模様は日本のＴＶの深夜番組で放送されるというのだ。

「どうしようどうしよう」と私はニワトリのように辺《あた》り一面を駆けめぐった。関係者の日本人の腕にことごとく泣きすがり、いやだと訴えたが時すでに遅し

突然舞台に踊り出た
ヘンな東洋人２名。

といった具合であった。

ウロウロしている私はついに捕らえられ、またたく間に主人とふたり、舞台の上に放り出された。

観客は、ヨレヨレのセーターにズボンで登場したヘンな東洋人二人組を突然見せつけられ、うろたえた笑《え》みを浮かべていた。

スポットライトの向こう側にはポールの光り輝く姿がにじんで見えている。

私は超ひきつった笑顔でどもりながら「ハロー」とだけ言い、心の中で「ニホンからヤッテキマシィタ」などと外国人の発音で日本語のあいさつの言葉がよぎっていた。

夫は、自分の人生の全てをこの時にかけるといった表情で、ポールに何かあいさつをしていた。そしてポールと握手をするチャンスを得、私もそれに便乗して握手をすることができた。ポールの手は柔らかく、少し温かかった。

何が何だかわからぬうちに、私達はよろめきながら舞台を降りることになった。私も夫もふぬけになり、老夫婦のようにお互いを支え合っていた。

そして夫は「ポールに向かって、何て言ったのかひと言も覚えていない」とボソッとつぶやき、まだ舞台の上にいるポールを、蜃気楼《しんきろう》を見るような目で見つめたままいつまでも呆然《ぼうぜん》としていた。

一ヶ月後、その時の様子がＴＶの深夜番組で流れるという日がやってきた。

私は恐れおののき、決して観たくないと思い、フトンをかぶったまま魔の刻が流れ去るのをじっと待った。遠くで夫の「でた〜っ」と叫んでいる声が聞こえている。

観おわったあと、夫は私に向かって「おまえ、アヒルみたいだったよ」と言い残し、どこかへ去っていった。

アヒルと言い残された私はひとり、「そうか……」とつぶやき、どうしようもない感覚に流されながら、いつまでも眠れずに何百回も寝返りを打ちつづけていた。

ロンドンから帰ってから、私は腰を非常に痛め、本物のアヒルのように歩き回る日々が過ぎていった。

今でも時々思う。あの時ポールに会ったのは、一体何だったのだろう、と。

遠藤周作先生

『ちびまる子ちゃん』がTVで放送される前の年の夏、どういう了見でかわからぬが、遠藤周作《えんどうしゅうさく》先生から「あなたと対談したい」という申し込みをいただき、私はマヌケ面を引っさげてノコノコ出掛けることになった。

遠藤先生が指定された場所は、どこか青山かその辺の一等地であろうと思われるビルの一階の上等なレストランであった。

その上等なレストランに、私と当時私の担当編集者であった主人は十分ほど遅刻して汗をふきながら到着したのであった。

レストランの奥の別室らしき部屋に、遠藤先生は何人かの編集者をしたがえて、不敵な笑《え》みをニヤリと浮かべて待っていた。何か、ハードボイルドな匂いまで漂う、緊迫した空気が部屋中に立ちこめていた。

私は「遅れてすみませんすみません」と背を丸めながらみっともなく席に着き、遠藤先生のテカテカ輝く顔を改めて拝見し、ますます背の丸まる思いがしていた。

遠藤先生は開口一番「僕はあなたの漫画が好きでねェ」と言って下さり、私が「ど、どうもありがとうございます」と答えると、ニヤリと笑いながら「でもあなた、アレ、全力で描いてないでしょ」とおっしゃった。私は小さくなりながら小さな声で「……いえ、あれが私の全力です……」と答えると、遠藤先生は「ええっ、ほんとォ？」と三回ぐらい繰り返してから「そうかァ、じゃあ僕も漫画家になろうかなァ」とまたニヤリと口元がゆるんでいた。

遠藤先生は更に「僕はねェ、こう見えてももうボケちゃってて、夜になると今日誰に会ったかなんて、忘れちゃうんですよ」と真顔でおっしゃるので、私はそれをまに受け「え、本当ですか……」と心底《しんそこ》心配をし始めた。先生は「僕も、もう76ですからね」と言うので、私は驚き、「えっ、そ、そんなふうにはとても見えませんのに」と、すっとんきょうな声で答えた。

そんなふうに見えないのは当然である。先生は当時66歳であった。つまり10歳もサバを読んでいたのだ。「5つは若く見えますね」などと言わなくて本当に良かった。このようにウソを言ってはニヤリと笑うのが遠藤先生なのである。

当時私は遠藤先生は真面目な方だとずっと思っていた。それは私が遠藤先生の著作物の中ではかなり真面目な方《ほう》であろうと思われる『死について考える』という本しか読破していなかった故《ゆえ》の無知によるものであった。

この対談の前に主人が「遠藤先生は若い娘にウソをついてはほくそ笑むというクセがあるから、必ず〃ぐうたらシリーズ〃を読んでおくように」と私に言っていたのだが、私はその準備をしておかなかったのが悪かったのである。

遠藤先生は御自分が幼い頃、しょんべん垂れのクソ坊主だったことを愉快に話して下さりなごやかに時は過ぎていった。ちなみに遠藤先生の子供の頃のあだなは〃そばプン〃だったそうで、これは「そばに寄るとプーンとにおうから」という意味であると教えられたがこれも定かではない。

そんなごやかな時の流れが少しずつ逆流し始めてきた。私と主人が「こんど結婚するんです」と打ち明けたとたん先生は「なに？　結婚!?」と言ってメガネの奥の目がキラリと光り「僕は夫のいる女には興味がないんだ」と言い始め、そのわりには新婚旅行はどこに行くのかと尋ねてきた。

その時はまだ新婚旅行はスペインという予定でいたため、私は「スペインに行こうかと思っているのですが」と言うと、先生は「スペイン!?　あ〜〜〜ダメだダメだ。あの国はスリが多いからさんざんな目にあうよ」と言いながらも更に飛行機は予約してあるのかと尋ねるので「まだしてません」と答えると「え、まだしてないの？　ハー、こりゃもうチケットはとれないね。私が昔スペインに行ったときは、路地裏からアコーディオンの音が流れてきたりして、それはそれは素晴らしい思い出があるけれど、それもこれも飛行機のチケットを確実にとっておいたタマモノだ」とイジワルなことを次々と言い、必ず最後にニヤリと笑うのである。

遠藤先生はその後、腰の痛みの治し方などを詳しく語り、「いい医者を知っているから明日の朝十時に私の家に電話をしなさい。教えてあげよう」と言って主人に電話番号のメモを手渡していた。

対談は終わり、「それじゃまた」と言って別れ、お互いの距離が五十メートルくらい離れたところで突然、「おーい、おーい、ちょっとさくらさん、あなた来なさい」と先生が呼んでいるので、私は何事であろうかと驚き、全力で走って先生のもとへ駆けつけた。

ゼーゼーと呼吸困難になりそうな私の耳元で、先生は「あの男」と主人の方を指さし、「これから先、女を泣かせるよ」と言い、クルリと背を向けヒッヒッヒと悪魔のように笑って去って行った。後に残された私は、生涯稀《まれ》にみる脱力感に見舞われた。

翌日、朝十時に電話をしろと言われていたため、本当は医者などどうでもよかったのだが、目覚まし時計までセットして、指示通りの時間に主人は起きた。そして、遠藤先生の手渡したメモを見ながらダイヤルを回すと、つながった場所は東京ガスの営業所であった。……トホホ。

台風台湾

私の会社というようなものが一応あり、それは〝さくらプロダクション〟という安易な社名がついている。会社といっても、主人が社長で、私と他二名の主婦がバタバタ忙しく働いているという、つつましい事務所である。

うちの会社は全員非常に仲が良く、笑うも怒るも全員一緒、とにかく全員でワアワアと大騒ぎしているうちに日が暮れてゆく。私は、この皆で大騒ぎをしながら仕事をするのが大好きで、毎日朝が来るのを待って事務所にせっせと通っているのである。金曜日などは、

「ハア、土、日は休みか。つまらん。悲しい」

などと、誰もが哀愁を漂わせながら事務所を去り、家路につく。幸せな会社であることは間違いない。

そんな我が社で、社内旅行に行くことになった。バリにしようかハワイにしようかなど、さんざん迷った挙句、〝台湾《タイワン》〟に決まった。私が、「近くて、珍しい物が見られて、食べ物がおいしい所がいい」と言ったのが決め手になったのだ。

秋も深まりゆく九月末、われらは日本を後にした。台湾までの飛行時間は約三時間。私は飛行機に乗るのがどうも苦手で、乱気流等で機体が揺れでもしたらもう心の中は大パニックになってしまう。「ああ神様、ゆるして下さい、何でも言うことをききますから、無事に着陸しますように……」と、台湾に着くまでに五回は祈ったような気がする。

私の祈りは天に通じ、無事台湾に着いた。着いたは良いが、台湾には台風も一緒に到着していた。何が何だかわからぬまま、私達一行は強風にあおられながらホテルに直行し、部屋に閉じこもったまま台風の通りすぎるのを見守るハメになったのである。

台風が過ぎ去った次の夜、私達は心まで晴ればれし、「さーどんどんいってみよーう」という気になり、怪し気なタクシーの運転手のすすめるがまま、得《え》体《たい》の知れない中華料理店に行った。その店では〃ニワトリの睾丸《こうがん》〃やら〃ブタの珍しい部分〃やら、聞いたことのない物をいろいろ食べ、そのあと、屋台の多く出ている街にくり出し、〃檳榔《ビンロウ》〃と呼ばれている噛《か》みタバコの一種らしきシロモノもがんがん噛んでやった。ビンロウは、慣れてない人には非常に味わいにくい物だと聞いていたが、私はけっこうイケる口《くち》で、噛んだ後、体の奥から〃ワー〃っと何やら熱いエネルギーが湧いてくるような気がして、まんざらではなかった。地元の人の話によれば、長距離トラック運転手の必携《ひっけい》アイテムだということであった。

ビンロウをクチャクチャ噛んでいると、非常に喉《のど》が渇いてくる。私は何か飲みたくなり、ジュースを売っている店を探し始めた。まもなくジュースらしき物を売っている屋台を見つけ、「あれを飲もう」と私は言った。

その店のジュースは、バケツのような物に入れられており、お世辞にも「清潔ですね」とは言えない状態であった。

しかし、それでも私の喉は潤《うるお》いを求めていた。喉さえ潤えば何でもよかったのだ。「買う」と言った私を、主人は必死で止めた。

「ホテルに帰って飲めばいいじゃないか。だいたい、コレ、何のジュースかさえ分からないじゃないか。缶ジュースにした方が無難だ。そもそも、腹痛になる可能性が高い」

など、もっともらしい意見を述べていたが、私は「腹痛なんて起こるもんかー」と言い放ち、小銭を握りしめて屋台に走った。社員の一人は「わたしも飲みます」と、忠義を果たし、私と一緒のジュースを買った。これで、もし腹痛が起こるのなら彼女も道連れである。

私はグーッと一気に三分の二を飲み干した。味も何もわからなかった。ただ、喉の渇きだけはおさまった。それでいいのだ。このジュースを飲む意義は味ではない。潤いなのだ。そういう感想を胸にいだきつつ、隣にいたジュース仲間の彼女を見ると、ひと口飲んだだけでイヤな顔をしている。彼女は「すみません。私……コレ……あまり口に合わないようで……」と困惑している。そんなにまずかったかな、と思ってもう一度、今度は味を確かめるために飲んでみた。……なるほど、ヘンな味がする。桃のジュースに梅干しを入れたような味だ。尋常ならとても飲みたくない味である。彼女は申しわけなさそうにジュースを捨てた。これで腹痛の道連れはいなくなり、万一の事態は私ひとりの身の上にのしかかることに決定した。

さてその晩、やはり万一の事態は私ひとりの身の上にのしかかってきた。

深夜三時頃、私の腹は「?」という気配を感じ、トイレへ駆け込むと「案の定」という結果になっていた。胃腸が弱い私には、さして珍しい出来事でもないので、「まあいいさ。全部出りゃ治るさ」と気楽にかまえていたのだが、だんだん深刻な雲行きになってきた。

「全部出りゃ治るさ」というものの、出るわ出るわの大サービス。十分おきにジャンジャン出るのだ。「なんだこりゃ、ジャンジャン横町じゃないか、これじゃ」などと、動転する頭の中で、直腸が横町になったことを嘆きつつ、私は朝までベッドとトイレを行きかっていた。出る物がなくなった腹の中から、とうとう水らしき液体が出始めている。もう、どっちの穴から何が出てるのだかわからない。

主人は途中で目覚め、「だから僕はあの時よせと言ったのに」と、心底《しんそこ》情けない表情を浮かべながら「朝一番で病院へ行こう」と言った。

私は「これが噂《うわさ》に聞く脱水《だっすい》症状というものか」と、弱ってゆく体を横たえながら、体の変化を観察していた。脱水症状になると、まず体がダルくなり、そのあとますますダルくなり、そして寒気が襲ってくる。私の体は震え始めてきた。

朝、現地の添乗員の車で病院に運ばれた私は、顔面蒼白《そうはく》でフラフラになっていた。病院で、レントゲンやら尿やら、様々な検査を受けている間も、私の容《よう》体《だい》は悪化してゆく。目を閉じたりすると、チカチカといろいろな図形が見えたりする恐ろしい幻覚《げんかく》まで現れ、私は遠のく意識の中、

「ああ、死ぬってこんなかんじなのか……日本の皆様、まる子をよろしく……今まで、どうもありがとう……」などと想いを馳《は》せ、うっすら涙ぐんでいた。

やがて、病院のベッドに寝かされ、点滴《てんてき》を打たれる時がやってきた。医者は私の前では「ダイジョーブデスヨ」と笑顔で言ってくれたが、やがて、「ダンナサン、チョット」と険しい目つきで主人を連れて壁の向こうに消えてしまった。私は、「え、まさか、主人にしか言えない病気なのでは……!?」とハッとし、ドラマなどでよく見る「じつは奥さんの命は……」というような、死の宣告の場面が頭の中をよぎりまくっていた。

結局、主人は医者から「オクサン、チュードクネ。キノウ、何カ悪イ物タベ

ビュ〜〜〜
ザアア…
さくらプロ一行
台風… 私達って一体….

タカ?」など詰問されたらしく、主人は私の無謀な行為の全てを話し、大恥をかいただけであった。

私は点滴のおかげで、二時間後にはすっかり回復したように思えたが、医者から「ムリヲシチャダメヨ」と言われ、入院することになった。

せっかく台湾まで来て、入院している自分は一体何なんだろう……そして私のベッドの下で今晩寝るハメになった主人って一体……様々な想いがヒマな入院中に浮かんでは消えていった。

さくらプロダクションの皆も、すぐさま御見舞いに駆けつけてくれ、「今日はももこちゃんたちの結婚記念日だったのに……」と、本人達も忘れていた記念日を嘆きながら、花を飾ってくれた。花カゴには、「結婚記念日おめでとう」という文字が空しく書かれていた。

翌日の夕方、医者が止めるのもきかず、私はムリヤリ退院した。もうヒマでヒマでどうしようもなかったのだ。そして実際、すっかり回復していたのだ。

私は看護婦の前でガッツポーズやら、エイエイオーの姿勢などを見せ、もうムチャしないから、と約束をして退院手続きを手に入れた。

こうして、まんまと退院した私は、その後二日間にわたりいろいろな物を懲《こ》りずに食べ、台湾の味をヘラヘラと満喫したのである。

いよいよ帰国の日となった。ホテルから空港へ向かう車は少し大きめのライトバンで、私達一行はぎゅうぎゅうとその中に乗り込んだ。

台湾よ、さようなら。いろんなことがあったなあなどと思いながら車に揺られていると、どうも車の走り方がおかしい。全員、「?」と思っていたのだが、運転席の後ろに座っていた者が、「あ、運転手が寝てるっ」と大変な発見をしたため、車内は心理的パニック状態となった。我々は、運転手の後部座席をボンボン叩《たた》き、彼の目を覚ますことだけに専念した。彼は一度は目覚めたものの、すぐにまた夢の世界に飛んでいってしまい、我々を不安のドン底につき落とした。その後数回、彼は夢と現《うつつ》を行き来し、我々の手の中に汗をしこたま握らせながら、どうにか空港にたどり着いたのである。

今回の旅行って何だったのだろう。そんなことをボンヤリ考えているうちに、飛行機は日本に着いた。

ちょうど我々が日本に到着した時、台風も一緒に到着していた。あの日、台湾にいた、あの台風であった――。

インド旅行計画

さて、台湾旅行でさんざんな目にあった私の前に、実に爽《さわ》やかな笑《え》みを浮かべながら二人の男がやってきた。

この本を編集している横山さんと『小説すばる』編集長の桜木さんである。

彼らは「いやぁ、台湾旅行での珍しいお話は、まことに面白かったですな」とハハハと笑い、「『もものかんづめ』のヒットの記念に、ぜひともまた旅行に行って下さい。世界中、どこの国でもけっこうです。なるべく珍しいことが起こりそうな国へ行って下さいよ」などと、暗に私の食中毒の再来を期待するかのように目を輝かせて大胆な企画を持ってきて下さった。

私は、しばらく海外旅行は懲《こ》りごりだと思っていたのだが、旅行好きの夫は〝御夫婦で〟という誘いにあっさり乗り、「さあどこへ行こうか!!」と子供のように手放しで喜んでいたため、私はあえなくこの企画の波に飲み込まれること になったのであった。

私は新婚旅行で行きそびれたスペインが良いと主張したのだが、スペインは遠いなどという誰かのムチャクチャな反論に遮《さえぎ》られ、またもスペインは風のごとく揺らめきながら姿を消すはめとなった。

そしていつのまにかインドが良いのではないかという意見が飛び交い、見る見るうちにインド方面の旅行計画は進められていったのである。

そうこうしている間に年は明け、正月気分を引きずる私達の前に、またも横山さんと桜木さんは爽やかな笑顔でさっそうと現れた。

そして、私《わたくし》専用の原稿用紙という粋《いき》なものを運んで来てくださり、次々と事務所内にそれを積み上げていった。

私はあまりのことに喜びと驚きでア然としつつ、ぼんやり彼らの様子を眺めているうちに見知らぬ男性がいることを発見した。

その男性も横山さんや桜木さんと一緒になって原稿用紙を運んでいたので、てっきり編集部の人かと思っていたら、横山さんが「こちらの方は、今度インドへ同行なさる、旅行会社の方です」と紹介を始めた。

旅行会社のその人は、人が良いばっかりにニコニコしながら原稿用紙を運んでくださっていたのだ。

「それはそれはどうも……」とオロオロする私をよそに、横山さんは「この人は、日本のインド旅行代理店の中で、一番インドに詳しい人です」と胸を張っていた。横山さんが何を根拠にその人を日本一と言い切ったのかは不明だが、その〝どんと来い!!〟という感じは、私達のインドへの不安が一気に吹き飛ばされる程のパワーがあった。

旅行会社のその人は、ニッコリしながら名刺をくれた。

私と主人は名刺を見て息を飲んだ。

「大麻　豊」

大麻です。
ものすごく怪しい名前だが
ものすごくまじめな大麻さん。
これでインドは安心か…?!

名刺にはキチンとそう書かれていたのである。

ちょっとアンタ、インドで大麻《たいま》が豊かなんてそりゃまずいんじゃないの……という、言葉にもならない同じ想いが名刺を見つめる夫婦の間にたちこめていた。

それを感じたのか、大麻《おおあさ》さんはとっさに、「私、名前は大麻《マリファナ》ですが、そういうことは一切いたしません」とキッパリした口調で言ったので、私はこらえていた笑いがついに爆発し、本人の前で床を転げ回って笑ってしまった。ドンドンと床をげんこつで打ちながら、私は「これは本当に本名なんですか？　あ、そう、本名、ヒ——ッヒッヒッヒ〰〰うそみたい、あ〰〰おかしい」と、今思えば申しわけないほど笑ってしまった覚えがある。

横山さんは「さあ、怪しい名前の大麻さんの登場で、一気にインド気分が盛り上がってきたでしょう」などとバカな冗談を言い、ますます私を笑い地獄へ落としてくれた。

私達は、その後も二時間ぐらい、大麻さんの名前のことで盛り上がり続けていた。「まさか、弟さんは大麻茂《しげる》っていうんじゃないでしょうねェ」と私が言えば、主人が「そんでもってオヤジは大麻豊作で」というように、大麻さんの架空の家族は勝手にどんどん作られていったのである。

横山さんと桜木さんと大麻さんを前にしてインド旅行計画は具体的に進められていった。横山さんは手元のパンフレットを見ながら「うーん、この門の前に立っている少年は立派な服を着ているなァ。これはマハラジャでしょう」と大麻さんに尋ねたが、「それは門番です」とあっさり言われ、「なーんだ……アハハ」と空しい笑いを浮かべつつ、インドに関する無知を独り嚙《か》み締めていた。

いよいよインドへ旅立つ日が近くなってくると、友人や知人から「生水は飲むな」やら「買い食いはするな」やら「生きて帰って来い」などの様々な注意を授《さず》けるための電話が鳴り響く日々が続いた。吉本ばななさんは「これで最後の別れかも」と言いながら、わざわざ会いにまで来てくれるしまつであった。

私を熱烈に応援して下さっているあるおばあ様は、私の親よりもインド行きを心配して下さり、「インドでは決して土地の物を食べないように」という手紙を添えて、非常食をワンサカ送ってきて下さった。非常袋に詰められたレトルト食品や梅干しその他の食品を見て、「インドって一体……」と私はインドへ行くのが恐ろしくてたまらなくなってきた。

そんな私の恐怖心も知らず、明るい日程表が横山さんからＦＡＸで送られてきた。

日程表には「成田空港で大麻と合流し、エア・インディアへ搭乗」と記されている。

本当に大麻と合流してインドへ行ってもいいのだろうか。ますます不安はつのるばかりだが、インド旅行は確実に迫っていた。

インド駆けめぐり記

やがてインドに旅立つ日がやって来た。

朝早く、空港行きのハイヤーが家の前まで迎えに来ており、私達は横山さんと桜木さんの細かい配慮を大変有難く思いつつそのハイヤーに乗り込んだ。

空港に入る前のチェックで、警官から日程表を見せるよう言われたので、主人はサッと日程表を取り出した。

〝成田で大麻と合流〟という文字を見た警官の目が一瞬キラリと光った。私達は〝そりゃそうであろう〟と警官の気持ちを察し、「大麻というのは代理店の人の名字《みようじ》です」と、詰問される前に報告し、無事空港内に入って行った。

空港には横山さんと桜木さんが見送りに来て下さっていた。彼らは「インドは晴天、よい旅になることまちがいなし」と太鼓判を押し、「いってらっしゃ

——い」と力いっぱい手を振って下さった。

飛行機の席はファーストクラスが用意されており、私達はその素晴らしさに目を見はった。今まで乗っていたエコノミーは何だったのだろう。ファーストクラスのイスは広く、足が伸ばせ、何やら出てくる料理もゴージャスである。機長の用意したらしきポートワインもやたらおいしい。私はインドへ着くまでにさんざん酔っぱらい、グーグー寝、極楽ここに極まれりなどとほざき、もうインドへなんて行かなくても充分満ち足りたと感じていた。

まもなくデリーに到着し、私達は大麻さんに連れられて立派なホテルへ案内された。ホテルのロビーの天井はギラギラといろいろな細工がほどこされており、私は口を開けたままずっと上を向きっぱなしで感心していた。

夕食は早速カレーを食べることにした。レストランの小さな舞台ではシタールの演奏が行われ、美しい踊り子がグルグルと回りながら踊り、今にもジェームズ・ボンドがバラの花をくわえて現れそうな雰囲気《ふんいき》であった。

インドは汚く混沌《こんとん》としており物乞《ものご》いも多いと噂《うわさ》に聞いていたが、そんなことないじゃないか。デリーはとてもキチンとしている。私はそんな感想をチラリと大麻さんに言ったところ、大麻さんは「いやぁ、デリーがインドだと思っちゃいけませんよ」と困惑した笑《え》みを浮かべてうつむいた。

翌日、私達はバラナシに向かった。途中、デリーの街角で初めて物乞いに出会った。その物乞いは子供だったのだが、よくインドに関する本などに載っている典型的な物乞いの姿であったため、私は〃おお〜〜〜っ、これぞまさしくインド!!〃と思い、激しい衝撃を受けた。やはり本当にインドには物乞いがいるのだ。本格的なインド旅行の幕は今やっと開かれたと実感していた。

バラナシに着いたのは夕方だった。大麻さんは「明日の朝、四時半に起床してガンジス川の日の出を見に行きますから、今日は早く寝て下さい」と、とんでもないことを言い出した。私は心の中で「ちょっとあんた、日の出なんてどうでもいいよ。東京で見るからゆっくり眠らせてよ」と思ったのだが声にはならず、日の出計画はそのまま実行されることになった。

翌朝四時半、私達は夜の続きでそのまま起きており、ちょうど眠くなってきたところに大麻さんがピカピカの笑顔で現れた。大麻さんはよく眠ったのだろうなァと思うとうらやましかった。

まだ薄暗い町の中を〝リキシャ〟と呼ばれるボロい人力三輪車でとばし、私達はガンジス川近辺まで運ばれて行った。

「ここから先は歩いて下さい」と大麻さんに言われ、私達はリキシャを降りた。降りたとたんに牛フンを踏み、私は泣きたい気持ちをこらえながらガンジス川まで急いで行った。

こんなに朝早いのに、もう物乞いも物売りも待ちかまえていて、ヘンな物を売ろうとしたり「金《かね》くれ」などと手を出している。牛フンを踏み眠気に襲われ、こんな私にまだ何かよこせと言ってくるインド人につくづく腹が立ってきた。

大麻さんは川辺の舟に急いで乗りこみ、私達もそれに続いてノロノロと乗った。舟は立ち上がればひっくり返りそうな不安気なシロモノだが、これからそれで一時間もあてもなくガンジス川を漂うのである。

日の出にはギリギリ間にあい、ボ〜〜〜ッと朝日が現れてきた。岸辺の建物が白く浮き上がり、ガンジス川はキラキラ輝き、それはなるほど感動的な美しさであった。

川のこちら側から眺めれば、牛フンの垂れ流されてるあの町も、物乞いの姿も物売りの姿もみんな神聖な感じで見えてくるから不思議なものである。私はこんないいものを見せてくれた大麻さんに手のヒラを返したように感謝していた。

次の日の夕方、今度はガンジスの夕日を見に行くと大麻さんがはりきっているので、私達は黙ってついて行くことにした。

町のあちこちで、犬がゴロゴロと死んだように眠っている。どの犬もみんな寝ている。とても気持ちよさそうな顔で幸せそうに寝ている。インドの犬は眠るために生まれてきたのだ。私は寝ている犬の写真を何枚も撮った。

ふと大麻さんを見ると、何かリキシャの運転手ともめているようであった。大麻さんは「ガンジス川まで十ルピーで乗せて行け」と言っているのに、リキシャの運転手は「いや、二十ルピーよこせ」と言っているらしい。値段の交渉が折り合わず、大麻さんはカンカンに怒り「もういい。歩いて行く」とリキシャの運転手に大見得《おおみえ》を切り歩き出した。

十ルピーが二十ルピーになったところで、所詮一ルピー五円なのだから、たった五十円しかちがわないのである。大麻さんが五十円を値切り損ねたため、私達は千円払ってでもリキシャに乗りたい距離を、泣く泣く歩いて行くことになった。

もう、心の底からガンジスの夕日などどうでもよかった。ようやくガンジス川までたどり着いたのでホッとしていたら、大麻さんが「あちらの岸からでないと夕日は見れませんので、今から浮き橋を渡っていただきます」と言った。

目の前がまっ暗になった。

ガンジス川の川幅はメチャクチャ広い。向こう岸まで二キロ位ある。おまけにグラグラ揺れる浮き橋だ。私達は何度となく川へ落ちそうになり、ヒィヒィとうめきながら向こう岸へと進んで行った。

こんな恐ろし気な浮き橋なのに、インド人達はブンブンと車で渡っている。さすがは「問題なし《ノー・プロブレム》」だけでゴリ押すお国柄の人々である。ここで事故が起きても「ノー・プロブレム」なのであろう。

先頭の大麻さんはチラリと後を振り返り、「あ〜〜〜、もうすぐ夕日が沈んでしまう、さあ急いでっ、走って下さいっ」と叫んだ。

何を言うのかこの人は。私は走る大麻さんの後ろ姿を見つめながら、もうついて行けない悲しさがこみ上げてきた。この浮き橋の上を走って大麻さんについて行くためには、私の人生、キグレサーカスに入団するところからやり直さなければムリである。

夕日

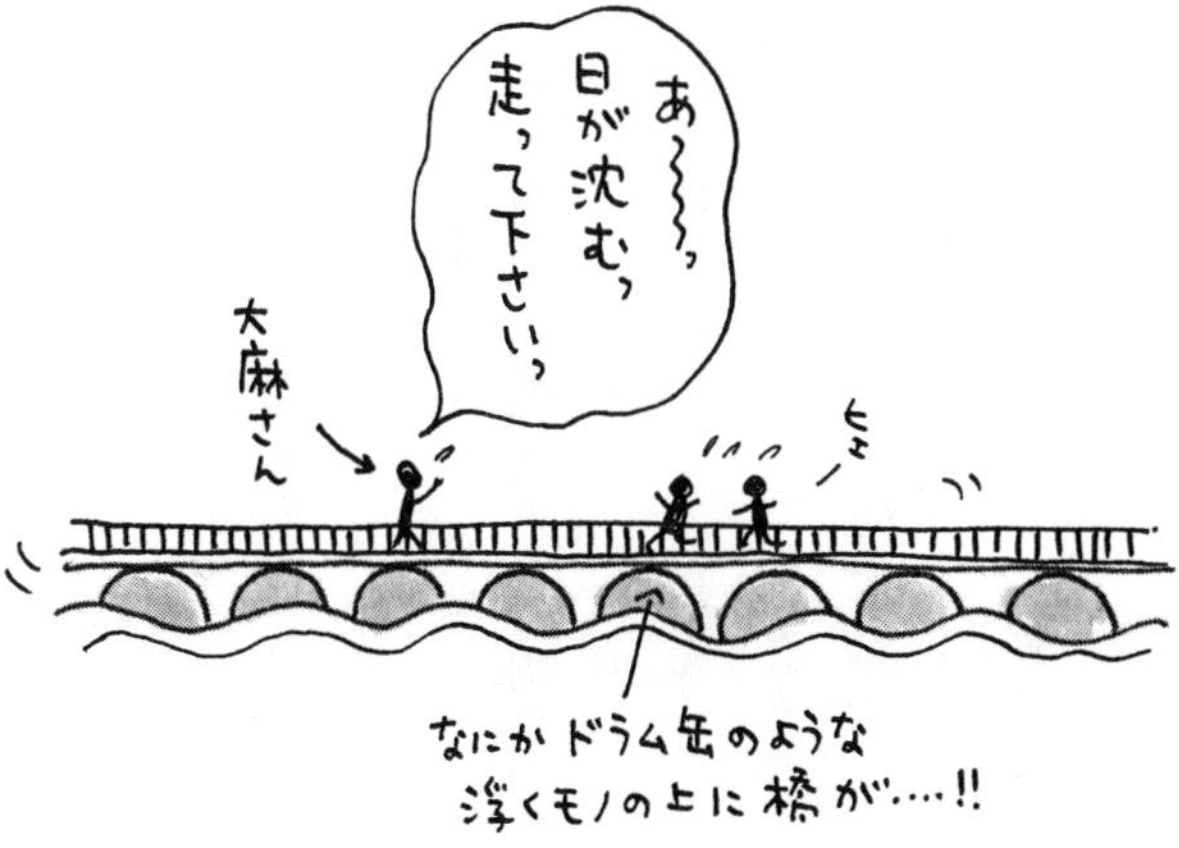
あ〜〜〜っ
日が沈むっ
走って下さいっ
大麻さん
ヒェ
なにかドラム缶のような
浮くモノの上に橋が….!!

ヨボヨボで半べソの私の手を主人が引き、どうにかこうにか向こう岸にたどり着いた。もう夕日は半分沈みかけていた。

大麻さんは夕日に照らされた真っ赤な顔で、「いやァ、半分だけでも見れてよかったですねェ」と言って笑っていた。この人は本当にインドが好きでたまらないのだ。

川辺には、一台の立派な車が止まっており、周りのインド人達が「王様《マハラジャ》!! 王様《マハラジャ》!!」とざわめいていた。

王様と聞いて私達三人は目の色が変わり、我先にと王様の車に直行した。いつもは車の窓にインド人の物乞いがへばりつくのをわずらわしく思っていたくせに、今度は王様の車の窓にへばりつく立場に変身した。もはや〝逆《ぎゃく》物乞い〟である。

王様は大変気高く上品で優しそうであった。私達は王様の車の窓をドンドンと叩《たた》き、一緒に写真を撮ってくれだの何か話してくれだのとせがんだ。

主人は王様に「王様というのは一体何の仕事をしているのですか」と、小学校の社会科見学の工場のおじさんに質問するようなことを尋ねた。しかし私も王様の仕事には興味があったため、よくぞそんなことを尋ねてくれたとワクワクしながら王様を見つめた。

王様は遠い目をしながら「町の人の世話をやくのが仕事です」と少し照れ臭そうに言った。しかし、王様に世話をやかれているような町の人は一人も見あたらないのが印象深かった。

朝日で始まり夕日で終わったバラナシを後にし、私達はあのタージ・マハルのある町へ移動した。

インドといえばタージ・マハルである。〝クイズ100人に聞きました〟で問題に出ても、必ずコレは上位に入るであろう。あとはカレーとターバンとヘビ使いくらいしか思いつかない。そんな国の名物を見に行くのだから胸が躍った。

ところがこのタージ・マハルの門の前での物売りというのが大変しつこく、

私は怪し気なムチを売る少年にさんざん追いかけまわされた。ムチなんてタージ・マハルに何の関係もないではないか。私の顔がそんなにムチを欲しているように見えたのであろうか。

私はムチ売りをシッシッと追い払い、タージ・マハルの中へ入っていった。タージ・マハルは中学の教科書や資料集などで見た通り、美しく見事なバランスで建てられていた。

タージ・マハルに見とれている私達に、親切にもいろいろと解説をしてくれるインド男が現れた。彼はタージ・マハルの歴史やらエピソードをひととおり語り終わると「さあ、説明を聞いたんだから金よこせ」と説明料を要求してきた。

私達があっけにとられていると大麻さんが「私達は何もあんたに説明を頼んでいない」とピシャリとインド男に向かって言い、私達に「誰も信用してはいけません。いいですね」と強く念を押してきた。誰も信用してはいけないこの国を、大麻さん、あんたはなんでそんなに好きなのだろう。

私達は物売りと砂ぼこりを後にし、タージ・マハルを去った。砂ぼこりの中で、まだムチを持って車を追いかけてくる少年の姿が情けなかった。

次の目的地はジャイプールという町だ。ジャイプールでは象に乗って宮殿めぐりをするという優雅な企画が待っている。今度こそは、何か素敵なことがあるんじゃないかと、私はジャイプールの象の背中にインド旅行の希望の全てを賭《か》けていた。

しかし、象の背中に乗ったとたん、またもインドの物売りが象の周りをとり囲み、「買え買え」と叫びながら汚いポストカードやら役に立たない品物を次々と投げつけてきた。宮殿めぐりどころではない。主人は主人で乗りたくもない象の頭の上にムリヤリ乗せられ、象の吹き上げた鼻息で顔や服を汚され、挙句の果てに象使いから〝象の頭に乗った料金〟をせしめられていた。

そんな私達の姿に大麻さんはカメラを向け「いい写真が撮れましたよ」とニ

ッコリ笑って手を振っている。インド人も、大麻さんも、私達も、全て何かズレているような気がしたが、そんなことはこの悠久の大地の空の下、ノー・プロブレムなのであった。

さて、ジャイプールのホテルの中で、私達は一人のインド男と知り合った。この男はホテル内で宝石等の土産物店を営む主で、とても気前が良く、「ぜひ我が家に遊びに来てくれ」と私達を自宅に招待してくれた。

私達は、「この男を信用しても良いのだろうか」と不安もあったのだが、インド人の日常生活を見てみたいという興味もあり、男の家へ行くことを約束した。

男が私達を自分の車に乗せる前に、何やらアラブ人のような白スーツの男達二人組とあいさつを交わした後《のち》、彼等も別の車に乗り込むのを見て、私はハッとし、「もしや、あのアラブ人とグルで、実は誘拐されるのでは……」という想いで頭がパンパンになり、インドに旅立つ前に知人からもらった交通安全のお守りを固く握りしめていた。

インド人の男の自宅は繁華街の中心部にあり、私達は大通りで車を降ろされた。私はまだ先程のアラブ人が尾行しているのではないかと心配をし、「オービューティフルタウン」などと別に格別ビューティフルでも何でもない街並みをほめるフリをしてキョロキョロと怪し気な人影が無いかどうかを確認しまくった。

男の自宅は、古くからの歴史のあるインド住宅であった。全ての部屋が中庭に面してたくさん並んでいる。家のあちこちに素晴らしいインド絵画がほどこされてあり、まちがいなく上流階級の暮らしぶりであった。

私達の前に、美しい娘が軽食を運んで来た。〝インドの宮沢りえ〟の登場に、夫は色めきたち、素早くカメラのシャッターを切り、フィルムが無くなるまでシャッターの音は鳴り響いていた。

私達は心のこもったおもてなしをうけ、帰り際に彼の妻から宝石のついたペンダントをもらい、ホテルへ無事戻ったのである。あんなに疑った自分を反省したことは言うまでもない。

その日の夕方、私達はまた彼から夕食の誘いを受けた。一体どこのレストランで食事をするのだろう、とわくわくしていると、彼は自分の店のショーケースの裏に私達を座らせ、持参のカレー弁当を開き、「さあ食え」と我々にすすめてきた。

ショーケースの裏はとても狭く、畳一畳分ぐらいしかない。そこに彼と夫と私と大麻さんと、おまけに彼の家来のような男が居るのだ。その家来が、ショーケースの下で秘かに火を燃やし、カレーを温めている。

とてつもない光景であった。

親切なジャイプールの宝石店主と別れを告げ、私達はダンドゥロッドという田舎町へ向かった。

ダンドゥロッドは田舎も田舎の超田舎にあるらしい。大麻さんの話によると、地元のインド人ですら訪れる者は無く、地図にも載ってない町だという。そんな町へどうやって行くのであろうか。

同行している運転手が、道端でたむろしているインド人数名にダンドゥロッドの方向を聞いていた。インド人達は一斉に同じ方向を指さし、車は示された方向に向かって力いっぱい走り出した。ところが何十キロか先にきて、どうやらちがう方向らしいことが判明した。

さっきのインド人達は、我々にウソをついたのだ。そんなことをしても、何の得にもならないではないか。私は吐き気と同時に怒りがこみ上げてきた。

仕方なく車は引き返し、また元の場所まで戻ってきた。先程のインド人達はまだ同じ場所でたむろしており、私達がジロリと睨《にら》むとニヤニヤしながら「ノー・プロブレム」などとほざいていた。そりゃあんたたちはいいだろうよ。私は心の中でインド人に向かって「バカバカバカバカ、カレーとまちがえてウンコ食ってろ」と憎まれ口をたたきまくっていた。

同じインド人でも、この運転手は語り尽くせない程いい人であった。澄んだ瞳《ひとみ》をし、とても誠実で、「インド人がどうしてあんなにウソをつくのか、自分にも全くわからない」と申しわけなさそうに語っていた。

迷いに迷って、やっとダンドゥロッドに到着した。ダンドゥロッドのホテルは、古城をホテルに改造したものであった。その日の泊まり客は私達のみ。その後も特に泊まり客の予約は無い、とホテルの従業員は寂しく言った。

夜遅く、夫は古城ホテルのてっぺんに立ち、ホーミーをやった。ホーミーというのは「ウィ〜〜〜〜〜〜」と叫び一人で複数の音を発声する、モンゴルの歌唱法である。

夫の「ウィ〜〜〜〜〜〜」がダンドゥロッドの夜の街に響き渡った。すると、それまで静かだった街が急にザワザワと騒がしくなり、一斉に犬の遠吠《とおぼ》えがあちこちから発生し始めたのである。

夫は「な、なんだこりゃ」と言ってホーミーを中断し、街の様子をうかがっていた。犬の遠吠えは鳴りやまず、「ヴォ〰〰」とラクダまで騒ぎ出している。

私達は「えらいことになった」と言ってほうほうの体《てい》で部屋に逃げ帰った。

翌日、大麻さんはダンドゥロッドの隣町のエロ壁画を見に連れて行くと言って、私達を車に乗せた。

しかし隣町にはエロ壁画は無く、あるのはエロでも何でもないインド模様ばかりであった。

エロ壁画を求めウロウロしている私達を、広場で遊んでいた子供達が見つけて走って来た。クチャクチャに汚れた小さな女の子が、私を見ながらうれしそうに「ハロー」と言った。ここの子供達は街の子供と違い、「金をよこせ」とも「物を買え」とも言わない。ただただうれしくて近づいて来たのだ。

主人は男の子二人に慕《した》われていた。私はその女の子をとても可愛らしく思い、手をつないだ。女の子は、手をつないでもらったことがとてもうれしかったらしく、飛び跳ねるようにして一緒に歩き出した。

彼女は自分が学校に通っていることや、おとうさんやおかあさんのことなど一生けんめい話していた。私が「あなたはとてもかわいいね」と言うと、彼女はパァァと輝くような笑顔で私の手を頰《ほお》に当てていた。彼女の頰は熱くも冷たくもなく、ただしんしんと生きていることが伝わってきた。栄養失調で茶色く変色している髪が風で揺れている。どうか逞《たくま》しく幸せな人生を送ってほしいと願いをこめて彼女の頭をそっとなでた。

私達が車に乗るまで、子供達はずっと一緒についてきた。男の子達は車の前まで来て別れを惜しんでいたが、彼女は車から少し離れた所に独りで立ってじっとしていた。笑っても泣いてもいないあの表情は、私達とはもう二度と会えないことを悟っている顔である。

走り出した車に向かって彼女は「グッバーイ」と言って手を振っていた。男の子達は走って後を追っていた。

こういうのがあるから旅はせつないのだ。主人も私も車の中でずっと黙ったままだった。

ダンドゥロッドに戻ると、街角に吟遊《ぎんゆう》詩人のじいさんが座っていた。

大麻さんは「おー、吟遊詩人に会えるとはラッキーでしたねー」と言いながら、じいさんに一曲やってくれと頼みチップを渡した。

じいさんは面倒臭そうに立ち上がると、鈴のついた小さな三味線のような楽器を手に取り、演奏をし始めた。

その音楽はとても素晴らしく、とてもこのじいさん一人でやっているとは思えないほど音の層が厚かった。いつのまにか人が集まってきて、吟遊詩人の周りを三十人余りが取り囲んでいた。

大麻さんは「一人が踊り出すと、みんなが踊り出すんですよ」と言って、最初に踊り出す役を自らひきうけ、踊りを始めた。

その踊りは見る者をとんちんかんな世界へ連れていった。アワ踊りの変形とも思われるその踊りに、つられて踊り出す者は一人もいなかった。全員あっけにとられて大麻さんを見守っている。

大麻さんは今さら引っこみがつかなくなり、吟遊詩人が演奏を終えるまでひたすら踊り続けたのである。

ダンドゥロッドの人々に、日本人への誤解を招く踊りを披露《ひろう》した後、私達は再びデリーに戻った。

あと少しで東京に帰れるのだ。そう思うとうれしくてたまらなかった。インド人のウソと物売りと物乞いで、私も主人も心身共にクタクタであった。

やがて私達はデリーの空港へ行き、夫はインドの紙幣を両替するために空港内の銀行へ向かった。

まもなく夫はカンカンに怒って帰ってきた。空港内の銀行員が、お金をちょろまかしたと言うのである。

私は信じられなかった。この期《ご》に及んで、まだそんなことをするのかインド人は。

私達はインド人に対する怒りがフツフツと湧き上がってきた。ずいぶん溜まっている怒りが爆発寸前になっていた。

税関のチェックを受けている時、役人の一人が「酒を日本の指定の場所に持って行く運び屋をやってくれないか？」と下劣な相談を持ちかけてきた。私は「バカ言うんじゃないよ」と日本語で言い、ますます頭に来た。すると今度は荷物検査の役人が、主人のカセットテープを見て、「これは国外持ち出し禁止だが、金を出せば許してやる」と無茶苦茶なことを言って金を要求している。

私の怒りはついに爆発した。役人までもが腐りきっているこの国が、バカらしくて仕方なかった。

空港の通路で私はインド人の悪口を怒濤《どとう》のごとくわめき立て始めた。周りの日本人観光客がチラチラ私の方を見ているので、主人は「みっともない」と私をなだめたが、それでも私は止まらなかった。インド好きの大麻さんは少しションボリしている。彼はインドが好きなあまり、インドに自分のお墓まで買ってあるのだ。

私と主人は「インド人が偉大だったのは、0《ゼロ》の発見とタージ・マハルを建てたことだけだ」という結論に至った。もうインドに用はない。

日本に帰ると、出発の時と同じ笑顔で横山さんと桜木さんが手を振って出迎えて下さっていた。

ああ、会いたかったよ横山さんと桜木さん。私は彼らの笑顔に、地獄で仏とはこのことであろうとしみじみ感じ入り、この人達が書けと言って下さるのなら、旅日記だろうがエッセイだろうが何だってするよという気分になった。

ところが数日後、旅日記*の依頼は本当にやって来て、私は〆切りに遅れてしまったのである。

*口絵の写真と詩のことである。

ミッキーマウスの繁殖力

近所のペットショップで、ミッキーマウスという商品名のネズミを見かけた。小学校五年の頃である。

明らかにディズニーに断りもなしにつけられたと思われるその商品名のネズミ達は、ハツカネズミよりもひと回り大きい体で、黒や茶色のブチのある毛で覆われていた。

一匹二百五十円という、手を伸ばせば簡単に届きそうな値段も魅力的であった。

私は早速それをつがいで購入し、家に持って帰った。

それを見た母は「八百屋《やおや》でネズミを飼ってたりしたら笑い物だよ。返してらっしゃい」と怒ったが、物好きな父はミッキーマウスのための飼育箱を器用に作り始めていた。

私はミッキーマウスをずっと眺め、「あーかわいい。ミッキーが家にやって来たよ。ここはディズニーランドだ」などと傾いた家の中で馬鹿げた幻想を抱いていた。

ミッキーマウスはニンジンやサツマイモをよく食べ、丸々と太っていった。学校で、友人達にミッキーマウスの話をすると、一目見たいと言って家に集まってきた。

友人達はミッキーマウスを一目見るなり、「なんだ、普通のネズミじゃん」と言って十分も経《た》たないうちに飽き、皆、他のゲームに没頭し始めていた。友人達は、ミッキーマウスというからには、歌でもうたうと思って期待していたらしい。そんなネズミならば、今ごろこんな家にいるはずがない。

ある日、ミッキーマウスの箱の中のフンを拾っている最中、細かくちぎった新聞紙にまぎれて、ピンク色の小さな肉塊がヒクヒク動いているのが見えた。

「？・」と思ってよく見ると、それは五、六匹でくっつきあって転がっている、ミッキーマウスの赤ちゃんであった。

私は「やったやったー」と喜びながら、急いで姉を連れてきて見せた。姉は「あんまりジロジロ見ると、親がノイローゼになって子供を食べちゃうからそっとしておきな」と、ミッキーマウスの親の気分で物を言っていた。

父はミッキーマウスの子供が生まれたという報告を聞き「やいやい、大変なことになったな、こりゃ。ネズミなんて、いくらでも子供が生まれるんだぞ。半年も経たないうちに、百匹位に増えるぞ」と言っていた。私は「そんな、大げさな。今二匹しかいない親が、半年で百匹産むわけないっしょ」と言ったが、父は「バカだなおまえは。いいか、親は二匹でも、そのうちこの子供達が育つだろ、そしたらみんなが産むようになるじゃないか。ネズミなんてすぐデカくなって子供を産み始めるんだ。そしたらおまえ、どうするよ」と言って充血した目でネズミを見つめていた。

ミッキーマウス
←子ども
(ピンク色)

私は心配になってきた。父の言うように、もし半年で百匹になってしまったらどうしよう。うちの八百屋はネズミ屋敷と呼ばれ、ディズニーランドどころではない。倒産だ。もう進学も結婚も全てオジャンだ。これも私の責任だ。

そう思うと泣けてきて、私はまだ見ぬネズミ屋敷を思い涙した。ミゾオチのあたりに重い石を埋めこまれたような気分であった。

翌日、私はクラスメイトの中で、ミッキーマウスの子供を欲しい人を募った。希望者はちょうど五名いて、私はノルマを果たしたと思いホッとした。

希望者の五名には、ミッキーマウスの子供が乳離れしたらすぐに手渡すことを約束した。

ミッキーマウスの子供達は、すぐに乳離れし、元気に箱の中を駆けめぐっていた。その様子はとても可愛らしく、クラスメイト達は喜んで子供達の里親になってくれた。

我が家の飼育箱は、また元通り、二匹の親だけになった。私はひと仕事終えたと思い、充実感が胸によぎっていた。

さてと、またフンでも拾ってやるかと思い新聞紙をかき分けていると、箱の隅にまた、あのピンク色の物体が蠢《うごめ》いていた。

前の子供が大きくならないうちに、もう二番手が誕生していたのだ。

私は「ギャッ」とのけぞり、母にその緊急事態を報告した。

母は「ほらごらん。だからネズミなんて飼うもんじゃないって言ったでしょ。バチが当たったんだよ」と恐ろしく深刻な形相《ぎょうそう》で言った。

私は「どうしよう、どうしよう」と腰をガクガクさせて母にすがった。母はうろたえる私の手を払いのけ、「自分で買ってきたんだから、買ってきたお店へ行ってちゃんとあやまって箱ごと引きとってもらいなさい」と厳しく言った。

母の言葉を聞いた私は「あ、なるほどね、そりゃ名案だ」と思い、蒼白《そうはく》の顔面にパァーと血が通い始める感覚をとらえていた。

私は箱をかかえ、近所のペットショップの前にやってきた。そして、店の人がよそ見をしてるところを見計らい、セキセイインコのカゴの横にそっと箱を置き、後ろも振り返らず一目散で走り去った。呼び止められたら困るのだ。どうしても返されちゃ困るのだ。

走っている最中、ペットショップの人がこちらに向かって「おーい、おーい」と呼んでいる声がうすく聞こえていた。

翌日、ペットショップの人が我が家で飼っている鳥のためのエサを持ってやってきた。ペットショップの人にとっては、私の返したミッキーマウスはまた再び商品になるのでありがたかったようである。こうして我が家はディズニーランドにもネズミ屋敷にもならず、また元のオンボロ屋敷としてのおなじみの生活が始まったのである。

見当ちがいな熱血

教師の中には、どう考えても違っていると思われる方向に突っ走る者が時折いる。

私が高校の頃、国語の教師の若いその男は、走れども走れども見当違いな方向にばかり突き進む、目隠しイノシシ野郎であった。

その男、名前こそ忘れてしまったが、あの顔はよく覚えている。デブなヨーロッパ人顔とでも言おうか。決して涼しいイメージではない。

彼は、第一回目の授業の終わりに、「みんな、よく聞いてほしい。僕は、君達が今何を考え、どのようにして生きているのか知りたい。何でも相談してくれ。今からノートを一冊ずつ配るから、僕と交換日記をしようではないか」と熱弁をし、全員にノートをシャッシャッと配り歩いていた。

クラス中の生徒がシラけていた。こんなバカ見たことない、という表情で統一されていた。

しかし、私は真面目に受けとめる性格であったため、「そうか、あの先生はそんなに一生けんめいなのか、よし、早速今日にでもこの日記を書こう」などと思い、サインペンで〝さくらももこ〟とノートの表紙に記入していた。

家に帰り、私はまっ先にあのノートを取り出し、自分の趣味や、将来モノを書いて生活してゆきたいというような希望を延々と書き連ねていった。それは少女の夢あふれる、真剣な情熱を感じさせる文章であった。

翌日、国語の授業の終わった後、私はノートを持って教師のもとへ走った。他にも二名ほど、真面目な生徒がノートを持って彼に提出していた。

私はクラスメイトから「あんなもの、よく書くね」などとうしろ指をさされながら、それでもノートが返ってくるのを心待ちにしていた。あの教師が、どんな感想を書いてくるかが楽しみだったのである。

翌日の、国語の授業が終了したあと、ノートは返却された。

ワクワクしながらノートを開くと、そこには赤字で「ありがとう！　もも こ!!　たくさんの夢に向かってガンバロウ!!」と、やたらビックリマークの多い汚い字で記されていた。

私の将来の希望も何もかも、ビックリマークとガンバロウで済まされるものなのであろうか。しばらくの間途方に暮れ、ビックリマークを呆然《ぼうぜん》と眺めているうちに、「……本当にこの〝!〟というビックリマークは、びっくりしたなァもう、という感じをよく表しているなァ」と感心している自分に気がついた。

家に帰り、私はまだ懲《こ》りずにあのノートを開いていた。そして、今度は今読んでいる本について書いてみようと思い、おもむろに書き始めた。

その時読んでいた本は、後に〝アサヒスーパードライ〟のＣＭでおなじみになるタフ・ガイ落合信彦氏の『アメリカの狂気と悲劇』だとかいう本であった。

この本は、アメリカのマフィアやらＫＫＫ団やらの話が赤裸々《せきらら》に記されており、

ありがとう!
ももこ!!
世の中いろいろ
あるけど
ガンバロウ!!

当時の私はアメリカにすっかり呆《あき》れ〝こんなことではいかん!!〟とちょうど頭にきていたところだったのである。

私はノートに、アメリカの矛盾や人種問題、果ては日本人はどうあるべきか等の考えを、事細かに延々と書き記した。そして、「先生はどう思いますか」と、教師の意見を真剣に求めるコメントまで添えて、今度こそはという意気ごみでノートを提出したのである。

やがてノートは返却された。

ドキドキしながらノートを開くと、そこには赤字で「ありがとう！　ももこ!!　世の中いろいろあって大変だね！　でもガンバロウ!!」とだけ書かれていた。

ありがとうももこじゃないよ……。

私はあの教師が大バカであったことをやっと認識し、そのままノートを捨てに行った。

もう自分の将来も、世の中の矛盾も誰にも相談しないで自分で考えようと思った。

名前の分からない物の買い物

商品名はわからないのだが買いたい、という物がよくある。

スーパーなどで見つけられる物は問題ないが、小売り店や本屋、レコード屋など、店員に説明しなくては見つかりにくい商品だとけっこう面倒なことになる。

たとえばトイレの水が詰まった時に使うあの、図のような道具を買う場合、

客「すいません、あの……えーとぉ……トイレが詰まった時、ホラ、ええと、こうゴムのついてるやつ」（手でゴムの部分をかたどりながら）

店主「へえ、あれでやんすね、こう、ズコズコやるやつでしょ」

図

客「そうそう、こう、バコバコやるやつ」

……というように、大変な擬音《ぎおん》を並べたり、ジェスチャーを加えたりしなければならない。時には恥をかくこともある。

私が高校の頃、大滝詠一さんの『A　LONG　VACATION（ア・ロング・バケーション）』というレコードが大ヒットした。「♪うす〜く切ったオレンジ〜を　アイ〜スティーにうか〜べて〜」という曲の入っているアレである。

姉が「すごくいい曲が入っているレコードがあるから買いたい」と言うので誰のレコードかと尋ねたが、わからないと言う。ではレコードか曲のタイトルは？　と尋ねたがわからないと言う。「それじゃ仕方ないじゃない」と私が言ったら「有名な曲だからあんたも絶対に知ってるはずだ」と姉が言うので「でも何の手がかりもなきゃ、私が知ってるかどうかもわからないじゃん」と言ってやった。

姉は必死でその曲を思い出そうとし、「えーとねえ、たしか唄《うた》の最初の方の歌詞で、オレンジだかミカンだかレモンだかを輪切りにするっていう内容だった」と言った。ミカンの輪切りの唄なんて聞いたことがない。本当にいい曲なのだろうか……姉の説明から有益な手がかりを得られぬまま、私達姉妹は一応レコード屋に行ってみることにした。

レコード屋に行ったって、どのレコードに〝ミカンの輪切りの唄〟が入っているかなどちっともわからない。姉は私に「ちょっとアンタ、店員の人にミカンをうすく輪切りにするっていう唄が入ってるレコード下さいって言ってきてよ」と言うので、私は「いやだ」と断った。しかし、姉があんまりしつこく頼むので、つい可哀相《かわいそう》になり店員に聞いてやることにした。

私は店員に「えーと、あの、ミカンをこう、うすく切って輪切りにして……っていうか、あの、そういう内容のレコードありますか」

店の人は困惑している。辺《あた》り一面よどんだ空気に包まれている。私は逃げ出したかったが後に引けない。

店員は「ミカンを輪切り……」と首をひねり、もう一人の店員に尋ねたりしていた。その時、ちょうど店内に例の〝輪切り〟の曲が流れ始めた。姉は私を小突き、「コレコレこの曲っ」と小声で知らせたので私は店員に「あの、今かかってるこの曲です……」とうつむいて言った。視界の隅に店員の笑いをこらえた顔が見えていた。

また、洋楽でタイトルも歌手もわからない場合は特に辛《つら》い。歌っている内容もわからないので手がかりになるのはメロディーのみ。恥だと思いながら店員の前で「ス〜チャラララ〜ンッチャッンッチャッ♪っていうイントロです」と調子はずれに歌ってみたりするがうまくゆかない。時には「ホラ、あの保険のCMに使われている曲です。女の人と男の人がこんなポーズして踊ってる時に流れてる、ホラ……」とその女と男のジェスチャーをしてみるが、次第にアクションQをやっているような気分になってくる。苦労するのだがほとんどの場合通じないまま店を出ることになるのだ。

本を買う時も、タイトルや著者が明確にわかっていないと困難である。数年前、編集の人から東海林《しょうじ》さだお先生のエッセイが面白いからと勧められた。当時私はとんと無知だったため、東海林さだお先生のことをよく存じ上げておらず、間違えて東海林太郎《しょうじたろう》と思いこんで本屋に行ってしまった。

私は東海林太郎のエッセイ本を必死でさがした。あの人は歌手だと思っていたが、文章も書くのか、すごいな、などと、頭は東海林太郎のことでいっぱいであった。

しかし見つからない。東海林太郎のエッセイ本がどこにもない。私は店員に尋ねることにした。「東海林太郎さんのエッセイ本ですか？」店員は首をかしげながら店じゅうをさがし回った。私も店員の後について一緒にさがした。店員はクタクタになりながら申しわけなさそうに「すみません、東海林太郎さんの本はうちにはないようです」と言った。あるわけがない。

しょうじ たろう しょうじ たろう…
?
あるはず なんです …
本屋の店員

人の名前を忘れた時も困難である。顔は覚えているのだが名前がわからない。その人を知っている人に聞こうと思って説明に入るが、「あの人、ホラ何ていうんだっけ、こう、顔が細くてタレ目で、このまえ○○さんと一緒にいた人」と、顔の特徴や人間関係まで思い出さなくてはならない。印象の薄い人だと、三回くらい会ってもまだ名前が定着せずに繰り返し誰かに聞くハメになる。

〝こないだ食べた弁当〟などをまた食べたくなり、他の人が買いに行くというようなシチュエーションも大変だ。「あのね、こんな六角形の入れ物に入ってててね、ごはんの上は肉そぼろと卵そぼろの二色になってるの。でね、気をつけてほしいのは、おかずの右の方にトリのカラあげの入ってるのと、ブリの照り焼きが入ってるのと二種類あるから、ブリの方を買ってきてね、トリの方じゃないよ」と、図まで描いて説明したりする。そして買ってきてくれるまで「まちがえてトリの方買ってくるんじゃないか」とか「自分で行けばよかったかな」など、いろいろな自我のつぶやきが聞こえ続けるのである。

以前、父に市場から「アジアンタム」という名の観葉植物を買ってきてほしいと頼んだことがある。父は、市場で仕入れてくる物を列挙した紙の一番下に「アジアンタム」と走り書きし、眠った。

一晩眠り、市場に行った父は「アジアンタム」が何であったかすっかり忘れていた。紅茶か何かだと思い、そちらの売り場へ行っていろんな店を訪ねたがどこにもない。父は「アジアンタム」を探し求める砂漠《さばく》の旅人と化し、長時間市場内をさまよい続け結局探せなかったらしい。

私は父の話を聞いて力が抜け、アジアンタムは自分で買ってこようと思った。

ぐうたらの極意

次に載せる文章は、竹中直人さんの監督した『無能の人』という映画公開の際発刊された『「無能の人」のススメ』という本の中の、〝無能の人ライフ（ハウツー物）〟として私が寄稿したものである。

〝ぐうたらしながら暮らすためには、どのようなことを心掛けたらよいか〟という、私の得意分野の方法を書き記してある一作だ。

それなので、他のエッセイと比べると少し趣が異なるが、「そうかそうか」と思って読んでいただけたら幸いである。では、どうぞ。

ぐうたらの極意

私は、毎日何か書いている。書くのが好きなのだ。それが仕事でラッキーだったと思う。毎日、必ず絵を描くか文章を書いているのだが、用事のない時ですら何か書いている。だから、〝何かを書いている〟ということ自体、実は私の中で一番リラックスしている時なのかもしれないが、やはり肉体は疲れるため、当然あい間を見てぐうたらし始めることは多い。

さて、ぐうたらするということは、一見簡単そうに見えるかもしれないが、わりと準備が必要である。まず第一に、

〝ごろりと寝ころんでも体が痛くない状態〟が必要である。板張りの床などに、ゴロリとしてしまうと、ちょうどいいかんじで眠くなってきた頃に、首や肩などに痛みを覚え、遠のく意識の中で「あー、やっぱ、ふとん敷けばよかったなァ……」などと思い、集中してぐうたらできなくなるものである。私の場合は、自分が一番ぐうたらしてしまいそうな部屋に、ソファーがおいてある。こうしておけば、いつ何時《なんどき》ぐうたら気分になっても安心して横になれるのだ。薄いかけぶとんも一緒に用意しておけば、ぐうたら状態から睡眠に突入しても、

カゼをひかずに済むのでより良いと思う。

第二に、

〃室内は、ヒトが一番活動に適している温度であること〃

……というのが必要である。暑いとぐうたらという最高の楽しみも、ただのダラダラになってしまうし、寒けりゃぐうたらどころか居ても立ってもいられない。室内は、二十五度から十七度くらいに保っておくのがベストといえよう。

第三に、

〃空腹でぐうたらしてはいけない〃

お腹《なか》が空いているときぐうたらし始めると、どんどん後悔することになる。立ち上がる気力もないため、お腹が空いてはいるが、食べ物を取りに行くのが面倒臭い。結局、空腹を気にしつつもだらけ心に負けてしまい、ごちそうを食べる夢を見てしまった、などという空しい結果を生むことになる。何か、ポテトチップなどの手頃な食品を手元に置いて食べながらぐうたらするという手もあるが、そろそろ眠くなってきた、というところで歯みがきのために立ち上がったりしなくてはならないので、ぐうたらから眠りへの快適な手段は望めない。やはり、ぐうたらする前に適当にお腹をふくらませておくことをお勧めする。

第四に、

〝あまり頭を使わなくても済む手頃な娯楽を道づれにする〟

……これは、ぐうたらの友というべきであろうか。好きな音楽を三回くらいリターンするようにセットするのもいいし、バカバカしいビデオを流しながらぐうたらするのも良い。読書などもかなり良いが、あまり難しいのを選んでしまうと取り返しがつかなくなる。なるべく「人生」などを考えさせない、通販の商品カタログ集やバカバカしい情報誌などが良いであろう。私の場合は『美しい部屋』などの、インテリア集を汚い部屋で読みながら、憧《あこが》れつつぐうたらしている。

第五に、

〝電話のベルは鳴らないようにしておく〟

これも重要な準備のひとつといえよう。ぐうたらに電話は最大の敵である。緊張は持ちこんではならないのだ。どうせいくら待ったって、宮沢りえちゃんから電話がかかってくることなんてないのだから、このさい電話のベルはオフにして、ぐうたらタイムを優先させるべきである。

第六に、

〝ぐうたらを開始する前に、必ず便所に行っておく〟

これは忘れてはならない。空腹よりももっと後悔するハメになる。空腹はガマンすればどうにかしのげるが、尿意だけはしのぎにくい。便所に行かずにぐうたらを始めてしまったら、あなたはきっと〝ぐうたら最高潮〟の時に便所に立つことになるだろう。そしたら極楽はそれまでだ。便所に立ったついでにいろいろな雑用を思い出したりして、例えば食器を洗ってみたり、しょうもない電話を誰かにかけてしまったり、何かの悩みをフト思い出して暗い気持ちになってしまったりすることもある。これも全て便所に行き忘れたがための災いだ。気をつけた方がいい。

第七に、

〝面倒な人物に面倒なことを言われない状態にしておく〟

これは、独り暮らしの人は問題ないのだが、何かしら家族がいたりする人は要注意である。例えば子供なんかいる家庭では、子供にうるさくつきまとわれないように、さっさと寝かしつけるとか、何か子供が熱中してしまうようなオモチャを与えておく等の下準備が必要だ。また、母親や妻が「あんた、またぐうたらしてるね、ちょっといい加減にしてよ」などと小言を言う可能性がある場合には、普段からなるべくチャキチャキ働いている姿を彼女等《ら》に見せて印象づけておくことが肝心である。こうなると、ぐうたらするにも日常の行いがいかに大切かおわかりであろう。たまには母や妻から「あんた、少しはノンビリぐうたらでもしてちょうだい」なんて言われるようになればしめたものだ。そこには彼女等が用意してくれたパラダイスが広がっている。しかし「オレは普段からぐうたらしているが、これからも何とかしてこのままぐうたらしたいものだ」と考えている者は、自室にカギをつけるのが良いだろう。カギをつける手間ぐらい、この先の「快適ぐうたら」を思ったら惜しんではいけない。

さて、これまで〝独りでぐうたらするための基本的な準備〟を記述してきたが、ここで応用編として、何人かでぐうたらする場合というものを考えてみよう。

まず、一緒にぐうたらするメンバーは厳選しなくてはならない。そこそこ親しい人なんていうのはダメだ。自分が失望されたり、相手に失望を抱いたりするおそれもある。〝家族ぐらい親密な関係〟を必要とする。

女性は、ぐうたら状態になってもパンツが見えてしまったりしないように、ズボンをはくのがベストであろう。ボディコンなんてもっての外である。パンツがチラッとでも見えてしまったら、ぐうたら世界は一瞬にして緊迫し、崩壊するであろう。私が常日頃《つねひごろ》からズボンをはいているのはそのためだ。いつでもぐうたらできるように心がけている。このズボンの習慣は、ちょっと見習ってみるのもよかろう。

ぐうたら仲間の話題として、仕事の話はやめるべきである。仕事の話になるとどうしても不満や苦悩が出てしまい、空間がやるせないムードに陥る危険がある。また、怖い話などもつつしむべきである。

数人でぐうたらする場合は、独りの場合とちがい、ぐうたらから眠りへ移行するようなことはめったにないため、何かおいしいお菓子などを用意するのも一興である。飲み物としてはビールや水割りなど、適当にアルコールがあるのもかなり良いと思われる。他の人に迷惑をかけない様に、健康状態は良好な時にしか数名でのぐうたらに参加してはならない。

以上が主な〝ぐうたら基礎知識〟である。この他、注意すべき点として、〝室内に虫が入らないようにする〟（ゴキブリや蚊が室内に入ってしまったら、もうぐうたら界はパニックである）〝頭や耳の中がかゆくならないように清潔にしておく〟などが挙げられるが、あまりぐうたらしすぎると、「ぐうたらしている自分がいやになってしまった」というように、ぐうたらに愛想が尽きてしまうこともあるので、日々適当に働くなり勉強するなり、体を使っておくことが重要なポイントである。このように説教臭く終わるが、私のことを嫌いにならないでいただきたいと願う。

夢が叶った悪夢

小学校六年の頃、友達のたまちゃんの誕生日がちょうど日曜日だったため、たまちゃんのおかあさんが引率して子供達数名を遊園地へ招待してくれることになった。

ちなみにたまちゃんというのは言わずと知れたまる子の親友のアノたまちゃんである。

バカなまる子はものすごくはりきり、行きの車の中でたまちゃんに、「あたしゃ今までの人生で一度も骨を折ったことがないよ。一度でいいからギプスってもんをしてみたいもんだね」などとくだらない抱負を語り、皆から冷笑を買っていた。

遊園地に着き、全員が一目散にゴーカートという小型自動車の遊具目ざして走って行った。

このゴーカートという乗り物、遊園地の中にあるとはいうものの、本当にエンジンをふかして自分で運転する、まさしく無免許運転のまかり通る子供界のスポーツカーであった。

私は友人を助手席に座らせ大得意になり、ガンガンスピードを出して車を飛ばしていた。気分はもう最高潮で、首に巻いてもいないネッカチーフが揺れている錯覚《さっかく》まで引き起こしていた。

事故が起こるのはこんな時である。

調子にのった私は運転を誤り、カーブを曲がり切れずに柵《さく》にガッンと激突したのだ。

助手席の友人は「ギャア」と叫び、尻《しり》が痛いと言うので、私は責任を感じ、あわてながら「ごめん、大丈夫?」と言って手を差しのべた。すると、差しのべた手が何か変であったので、私は「?」と思い、自分の左手をよくよく見てみると、手首がいつもと逆の方向に反《そ》り返っているではないか。正常な手首はこんな曲がり方はしていない。

私は気が動転し、「あらら、手首が何かヘンになっちゃったよ」と言いながら、元に戻そうとしたがそう簡単には戻らなかった。

私の手首を見て友人は悲鳴をあげ、すぐにたまちゃんのお母さんに報告した。たまちゃんのお母さんは青ざめ、直ちにタクシーを呼んで日曜日の当番医めざして私を病院に連れて行った。

私は何か大変なことになってしまった……と、ドキドキすることに気をとられ、手首の痛みを忘れていたが、時間が経《た》つにしたがって、だんだんそれは痛みを増してきた。たまちゃんのお母さんが「ももこちゃん、痛いでしょ、がんばってね」と声をかけてくれるたび、申しわけないので「平気です」と答えていたが、その痛みは限界をはるかに超えるほど痛くなってきていた。

私とたまちゃんのお母さんが車で去った後、残されたたまちゃん他の友人は、早速私の家にこのことを報告しに走った。

全員動転していたので、「ももこちゃんちのおばちゃん、ももこちゃんがっ、ももこちゃんが事故で大ケガをして車で病院に運ばれたよっ」と、家に駆けこんで行ったそうだ。

それを聞いた母は「ええっ」と絶叫し、涙ぐみながら顔面蒼白《そうはく》で、サンダルのまま姉と一緒に病院に走ってきた。

血だらけで意識不明の重体を想像していた母は、私の姿を見て「なんだ腕だけか」とホッとし、少し呑気《のんき》になっていた。姉は「人騒がせな」と言い、たまちゃんのお母さんと一緒に病院を出て行ってしまった。

しかし、腕の痛みは意識不明になるくらい深刻な状況になってきた。脈拍《みゃくはく》と同じリズムでズキンズキンと脳天まで響く痛みである。

医者は、「レントゲンの結果ですが、私はたぶん骨折だと思うのですが、うちは何《なに》ぶん内科なので、明日外科へ行って下さい。一応、応急処置だけしておきましたので」と言いながら、外科の紹介状を書いてくれた。

それにしても、応急処置というものは、本当に応急な処置であるなァと思うほど、私の腕の痛みには何の効果もなかった。

私はその夜ひと晩中うめき続け、真夜中に「痛いよう……痛いよう」と細々と響く声は誠にうす気味悪かったとオカルト好きの姉は未《いま》だに語り続けている。

翌日、朝になるのを待って私と母は市内の厚生病院に駆け込んだ。そこの医師によればこれは骨折ではなく、脱臼《だっきゅう》であることが明らかになった。

医師は「今から、骨の矯正《きょうせい》をしなくてはならないなァ。……これ、かなり痛いから、おしっこちびらないように、今すぐトイレに行っておいて下さい」と、恐ろしいことが始まる予感を充分に与える発言をした。

私は〝骨の矯正〟という意味がわからず、母に「ねえ、今から何やるの？痛いの治るの？」と尋ねたが、母は「これから骨を元の位置に戻すんだって」と言ったきり、何も語ってくれなかった。

トイレから戻った私はすぐさまベッドに寝かされ、三人の看護婦が私の周りを取り囲んだ。そして二人の医師が私の左腕を持ち上げ、「いっせーの」という掛け声と共に一番痛い部分の骨を、ギューギューと力いっぱい握りしめたり押したりしながら元の位置に戻し始めたのである。

〝骨を戻すというのは、こんな原始的な方法だったのか〟という理解と共に、隕石《いんせき》直撃としか言いようのない痛みがドカーンと私を襲ってきた。

私は痛みを分散しようと、自分の足や脇腹をつねりまくり、頭の中では欽《きん》ちゃんのことを考えるように心がけていた。

しかし痛い。なにしろ隕石直撃かと思われる痛みなのだ。この痛みの前には欽ちゃんも何もかもフッ飛び、私は人前では泣くもんかというポリシーのもとに当時は生きていたのだが、ついにダラダラとだらしのない涙が次々と流れ出し、鼻水は鼻腔《びこう》をふさいだ。

四十分後、矯正は終わった。

私は戦いを終えた兵士のようにボロボロになり、母のもとへ帰った。医者は、「いやぁえらかったえらかった。大人の男の人でも大騒ぎをするあの矯正に、よくおとなしく耐えたもんだね」などと褒《ほ》めたため、私はニヤリと不敵な笑《え》みを浮かべ、「おかあさん、帰りにデパートでごちそうしてね」などとすかさず約束を取りつけようとしたのだが、その言葉を聞いた医者がサッと振り向き「残念ですが今日は帰れませんよ。このまま入院していただきます」と入院の告知をしたのである。

私はデパートでのごちそうが流れたことのくやしさで、母にすがってオイオイ泣いた。母は「バカだねこの子は。あんなに痛い時にガマンしたくせに、食べ物のことで泣くなんてみっともない」と厳しく叱《しか》り、サッサと私の寝巻きを取りに帰ってしまった。

病院に独り残された私は、「これからどうなるんだろう」という不安と共に、子供ばかりが集められている大部屋に連れて行かれた。

左手にハリガネを通し、手を吊っている小六の私。

看護婦は私に、「今から、手の甲に針金を入れて、そこに部品を取りつけて、一週間ぐらい腕を吊るして固定しますからね」という恐ろしい内容のことをとても優しく笑顔で語っていた。

私は、「えっ」と言ったきり絶句し、おいおい、針金を手の甲に通すって、ねえ、アハハ……と、心の中ではもうその内容を受け容れる器が飽和に達し、「針金なんて私の手の中に入るはずがないさ」と、その看護婦から聞いたことは聞きまちがいであることにして次の事態を待っていた。

しかし、やはり先程の看護婦の言ったことは聞きまちがいではなく、私の手の甲に針金が通されることになった。

私は「えっ？　えっ？」と、目まぐるしく動いている周りの状況がつかめず、酸欠《さんけつ》の金魚のように口をパクパクさせているうちに、あっというまに目かくしをされ、音が聞こえないようにと両耳を強く押さえつける手が頭上にズシリとのしかかってきた。

ゴゴゴ……という、電気ドリルの音が振動になって体に伝わってくる。そして、麻酔《ますい》のために痛みこそ無いが、何か細い物が私の手の甲の骨をうまくよけてどんどん入ってきている感覚が気持ち悪くわかる。

同室の子供達のざわめきが、うすく聞こえている。彼らは「ヒェ〜〜〜ッ」などという奇声を発し、ドタバタと私のベッドの周りから遠ざかって行った。

こうして私の手の甲には針金が通され、腕は干し柿のように上から吊るされることになったのである。

ただ寝ているだけの入院生活は果てしなく暇であった。

誰か漫画やフルーツを持ってお見舞いに来てくれるかなァと淡い期待を抱いていたが、家族以外は面会謝絶ということで、級友たちは誰も来なかった。

待ちに待った退院の日、私は腕にギプスをはめられた。

次の日学校に行くと、あの日一緒にいた友人の一人が私に向かって「ももこちゃん、ギプス、してみたかったんでしょ、夢が叶《かな》って本当によかったね」と真っすぐな瞳《ひとみ》で言い放った。

私は「……うん、まあね」と鈍い返事をし、仕方なく阿呆《あほう》のような笑みを顔面から垂れ流したまま突っ立っていた。

まる子三ケ年計画

『ちびまる子ちゃん』がTVアニメとして放送されることが決まったのは一九八九年の秋であった。

アニメ会社とフジテレビとの契約で、それは三年弱放送される予定になっていた。もし視聴率が悪いようなら、三年より短期間で打ち切りということになったであろう。

当時、私の描いた『ちびまる子ちゃん』の原作数は五十話ぐらいであったため、毎週一本放送するとなると、原作は約一年で使い果たしてしまう計算になる。

関係者一同「……一体この先はどうなってゆくんだろう」という不安を抱えながらTVアニメはスタートされた。しかし心配は御無用であった。

実は私は、「ちびまる子」のネタは、三年分ちゃんと計画を立てて表《ひょう》にしてあったのだ。

アニメの監督は芝山努さんという、大変に素晴らしい仕事をなさる方が手がけて下さり、まる子はブラウン管の中で生き生きと動き回る命を授けていただいた。

そして私は季節に合わせて計画通りに台本を書き、ＴＶならではの試みもジャンジャン取り入れてみようと楽しんできた。

芝山監督もその意図を非常に理解して下さり、私がイメージしていた場面よりもさらに良い仕上がりになっていたりして、毎週毎週『ちびまる子ちゃん』の放送が楽しみで仕方なかった。

有難いことにまる子はたくさんの方々から応援を受け、ＴＶ放送は景気よく続けられていった。

一時期、世間では「ちびまる子のネタがそろそろ切れるんじゃないか」などと騒ぎ出していたが、私の方の計画は着実に進んでおり全然大丈夫だったのだ。

このようにして楽しみだった「まる子」のＴＶアニメも、もうすぐ予定期間をめでたく満了し、三ヶ年計画が終わることになる。アニメ計画が終了した後は、私はまた漫画のまる子を描きながら、新しい計画をじっくり練ってゆこうと思っている。

何か物事にとりかかる時には、始まりから終わりまでの構成が、完全にできあがっていなくてはいけないなァと、私はこの〝まる子三ヶ年計画〟を実行し、つくづく感じた。

物を創るということは、創り手が全てわかっていなければならないのだ。全てが作者の掌《てのひら》の上でなくてはならない。それが粋《いき》というものであり、創り手がわかってない作品というものは野暮《やぼ》なのである。私はこの三年間で、そういうことの大切さが骨身にしみて理解できるようになった。

この〝まる子三ヶ年計画〟で、私はおそらく二十年かかっても理解できなかったであろういろいろな事柄が、バ――ッと見えるようになった。これはかけがえのない成果である。それほど、この三年間は毎日が濃厚であり、アン肝のようなこってりとした深みのある日々だったのだ。

芝山監督をはじめ、まる子を応援して下さった全ての人達に感謝の気持ちでいっぱいである。

まる子は大バカだが、それは私自身の姿であるから大切に育ててゆきたいと思う。今回、まる子についてこのエッセイの中に記しておきたいと思った理由は、私がアニメのまる子に対して中途半端な気持ちで取り組んだことは一度もなかったことと、大切だからこそ計画通りにTV番組は終了すること、そして自分の中に何か大変素晴らしいものが残ったということを、TV版まる子を応援してくださった皆様に報告しておきたかったからである。

まる子はいつか再びTVに出るかもしれないし、もう出ないかもしれない。

それは私には今のところ全くわからないが、漫画の世界ではこの先も私はまる子をずっと描きながら暮らしてゆくことはまちがいないと思う。

それにしても、私の家族を始め、はまじやたまちゃんなどの実在の人物がどんどん登場させられる『ちびまる子ちゃん』であるから、これまでの人生で私と少しでも関《かかわ》った覚えのある人は、厳重に警戒する必要がある。特にクラス内で変わった目立ち方をした記憶のある人は、かなり要注意である。

私は、実在する人物を登場させる場合は、本人に前もって連絡する時もあるが、何も言わずに出してしまうこともよくある。ちなみに、はまじには何の連絡もしていない。彼はいい奴だからきっと笑って許してくれるだろう。

まだまだ新展開する『ちびまる子ちゃん』のこれからの風景を、TV版でも観てみたいと私自身思うこともあるが、三年間という計画をズルズル引き延ばすのは今後の計画にもさしつかえる。

こんなに計画を尊重している私だが、歩いて数分足らずの待ち合わせ場所にも遅刻する日常に、自分を全く信用できないと思いションボリする時も、なきにしもあらずなり。

フケ顔の犬

何年越しで犬を飼う夢を見続けていたであろうか。とにかくずいぶん昔から犬が欲しくて欲しくてたまらなかった。

小さい頃は親から「あんたは小さいから、まだ犬の面倒がみれないから飼っちゃダメだ」と言われ、大きくなってからは「あんたは面倒をみる性格ではないから犬など飼ってはいけない」と言われた。何ということであろう。

私は毎日犬の雑誌を眺め、犬と暮らす夢を見ていた。ポチを飼っている正直じいさんがうらやましかった。

犬の雑誌を見ているおかげで、犬の繁殖情況等にとても詳しかった。母に「○○県のナントカさんの家ではコリーの仔犬が何頭生まれたんだって」などと無益な報告をするたびに勉強しろ勉強を、と無視されていた。

中学生の頃まで、血統書付きの犬が欲しいと思っていたが、高校生になってからは、もう犬なら何でもいいと思うようになっていた。犬のような顔をしている近所のジジィですら可愛らしいと感じ微笑《ほほえ》むしまつ。重度の犬中毒患者である。

そんなある日、高校三年の秋の終わりに、友人の友人が「うちで柴犬《しばいぬ》の雑種が二匹生まれたが、もらい手がないので明日保健所に持ってゆく」と語っているのを聞き、私は思わず「それならせめて一匹でも私がひきとる」と名乗ってしまった。

友人の友人は私があまりにも軽はずみな決意をしたことに驚き「本当に良いのか」と何度も聞き返していたが、私の決意は変わらなかった。

その日の学校帰り、そのまま自転車をこいで遠い町の友人の友人の家へ行き、そこで二匹の仔犬に出会った。

一匹の仔犬は賢そうな顔をしている。身もひきしまり、いい犬に育ちそうだ。

しかし、もう一匹の仔犬は年寄り臭い顔をしており、あまり賢そうでもない。全くの駄犬である。

一緒についてきた友人も、友人の友人も皆賢そうな方をすすめた。しかし、もし明日までに誰かもらい手が現れた場合、残っているのがこちらのマヌケ面の方だとしたら、きっともらうのをやめるであろう。賢そうな方を残しておいた方が、まだ生き延びる可能性がある。

私はマヌケ面の方を選んだ。友人達は「まァ、好きずきだから……」と力なく笑い、マヌケ面のためにタオルとエサを分けてくれた。

犬を抱いて帰った私は両親からそれはもう叱《しか》られた。私は必死で抵抗し、もらってきたなどと言えば返してこいと言われると思い、線路のそばで拾ったと具体的なウソまでつき、「身よりのないこんな小さな犬を、放っておくなんて人間としてやるせない」とか何とかいろいろなことを言い、サッサとダンボール箱の中に仔犬を入れてエサを与え始めた。

後姿がまた
死ぬほど
貧乏くさいフジ

母はだんだん仔犬に興味をもち始め、犬の顔を見に来たが、ひと目見るなり「なんでこんなフケた顔の仔犬を拾って来たんだね。どうせならもっとイイ顔のにすりゃよかったのに」とつぶやいていた。私はもう一匹の方にすりゃ良かったなと少し後悔したが黙って犬の頭をなでていた。

父は「これから十年はこいつの小便の世話をするのか……」とボヤき、ビールを片手にTVのある部屋に去って行った。

私はずっと仔犬を見ていた。長い間夢見てきた〝犬を飼う〟ということは、こんなもので決着がついてよいものか、という複雑な想いがよぎっていた。しかしボロボロの小さな犬の小さい目は、やはりこの子でいいのだ、と思い直させるほどどいとおしかった。

茶の間に父と母と姉と私が集まり、あの犬を何と名付けるかの話で盛り上がり始めていた。母は「あの犬、なんとなく五木ひろしに似ているから、ヒロシにしようか」と言ったが父ヒロシに激しく拒否され未遂に終わった。

チビというのも有力だったが、デカくなってからもその名を呼ぶのは見苦しいという理由で却下された。ここは静岡だ。静岡といえば富士山だ。フジでいいじゃないか。フジにしようという世論が高まり、ついにあのマヌケ面はフジと呼ばれることに落ちついた。

翌日から、母はフジを溺愛《できあい》していた。私はあまりの溺愛ぶりに驚き、何かあったのかと尋ねると、母はおもむろに昨日見た夢を話し始めた。

「あのね、フジがね、まっ暗な夜空をグルグルと円を描きながらどんどん登って行ってね、そして最後には光り輝くキラキラ星になったんだよ。そんでさぁ、わたしゃ思ったよ。あんたが今一生けんめい描いてるあの漫画がね、きっといつかはヒットするよ。あの犬はあんたが連れてきた神の使いだよ。わたしゃ大事にするよ」

私は「ハァ」と言ったきり、開いた口がふさがらなかった。漫画を描いていると言っても、まだ投稿していた時代の話である。海のモンとも山のモンともわからぬ私に、果たして神が使いをよこすであろうか。しかも五木ひろしに似た顔の犬として。

まあ何でも良い。とにかくこれでフジは我が家で大切にされることになったのだ。私は秘《ひそ》かに笑いながら犬を抱き上げ「よかったよかった」と頬《ほお》ずりをした。乳臭い匂いに混じって少しウンコの匂いが流れていた。

母はフジのために、とてもおいしそうなチャーハンとスープを作っていた。野菜も肉もたっぷりで、家族の誰の御飯よりも良いごちそうであった。

最初、父と私はそれがフジのエサだと知らず、先を争って食べ始めた。母がたまたま台所にいなかったため、誰も止める者がいなかったのだ。私達は「おいしいおいしい」と言い合って食べ、父はおかわりまでしていた。

全部食べ終わった後、母から「それ、フジのエサだったんだよ」と告げられ、父と私は大ショックを受け、顔にタテ線が入った。

特製チャーハンとスープのおかげで、フジはめきめき大きくなっていった。

本当にチビという名にしなくてよかったと痛感したものである。

ところが、育ち盛りのフジが、ある日腰を強く打ったらしく、歩き方が変になってしまった。後ろ足がヨロヨロと頼りなく、すぐに転んでしまうのだ。

母は嘆き悲しみ、私と父はフジを連れて近くの動物病院に走った。

獣医さんの話によると、骨がズレているためにもう治らないということであった。フジは一生このままヨロメキの生涯を送るのだ。

家に帰りこのことを母に報告すると、母は涙ぐみながら可哀相《かわいそう》だと百回ぐらい言い続け、フジの幸せのためならどんなことでもすると改めて心に誓ったようであった。しかし、フジは多少ヨロメク以外は健康なのだ。それだけでもいいじゃないかと私は思い、フジに「ね、元気ならいいね」と言ってお腹《なか》をなでてあげた。フジの無邪気な顔がにじみながら目に映った。

それからというもの、母はフジをやみくもに可愛がったためにフジはつけ上がり、ワガママになっていった。父と母以外の人の言うことは全くきかず、フジは命の恩人である私の命令にもそむきっぱなしで吠《ほ》えまくった。

私はカンカンに頭にきて母に抗議した。「ちょっとお母さん、フジを甘やかすのもいいかげんにしてよね。あの犬、バカだよ」と言ったら母はギラリと私を睨《にら》み、「フジはバカじゃないよ。そんなこと言ったら承知しないよ」と何も悪くない私が叱られ、「ギィ〰〰くやしい」とハンカチを噛《か》むこともしばしばあった。

あれから九年が経《た》ち、フジも老犬になってきたのだが、顔は仔犬の頃と全く変わっていない。はじめから年寄り臭い顔をしていたのがやっと実を結び、今じゃ「若いね」などと言われ、いい気になってシッポを振っている。

近所のじいさんの消息

数年前の夏、近所の鈴木さん（仮名）の家の前を通ったら線香の匂いがしていた。窓のすき間から何人かの人がせわしなく歩いているのが見えた。鈴木さんちで誰か亡くなったのかもしれない……!! そんな不確定な憶測が頭の中をよぎった。私は鈴木さん宅を横目でちらちら見ながら通りすぎ、その後ほどなくそんなことは忘れていた。

それから何日か経《た》ち、私はスポンジダワシを買いに近所の雑貨屋へ向かった。いつもならスーパーでいろいろまとめて買うついでにスポンジダワシも買うのだが、たまたま必要なモノがスポンジダワシ一個だけだったので初めてその雑貨屋に行ったのだ。

私が「スポンジダワシを下さい」と言うと店のおやじは「はい、スポンジダワシね。あんた、見かけないねェ、どこに住んでるのか」と話しかけてきたので私はこの近所だということを告げた。

おやじはそれを聞いて「へえ、じゃあ鈴木さんちの方じゃないか」と言うので私は「そうですそうです、鈴木さんちのすぐそばです」と、イイ線を突いてきた雑貨屋のおやじに喜びの気持ちをこめて相づちを打った。おやじはさらに「あそこんちのおじいさん、元気かね」と私に聞いてきた。その時私はハッとし、先日の鈴木家の様子を思い出した。

確かにあの日あの家の前は線香の匂いがしていたし、何やら人がざわめいていた。誰かが亡くなったのかなと思ったが、そうか、おじいさんが亡くなったんだ！　そう確信した私は雑貨屋のおやじに「はぁ、じつはこの前鈴木さんの家の前を通ったら……なんか……お葬式をやっていたようでしたからもしかして、おじいさんが……」と言ったら雑貨屋のおやじはモーレツに驚き、「えぇっ!!　鈴木さんのじいさん死んじまったのかい!?」と、すっとんきょうな声をあげた。私はおやじの前でひるみ、もう早く帰りたいと思っていたのだが、おやじはまだまだ鈴木のじいさんの話をしたいらしく「あのじいさんも、奥さんに死なれてからすっかり気落ちして寝こんじまってたからなァ……」など、別にどうでもいい鈴木のじいさんの身の上を語り始めた。

ところが数日後、私は鈴木家のじいさんが窓から梅の花を眺めている姿を発見したのだ。

〝生きてる……!!〟

私は目の前がグラリとし、雑貨屋のおやじに誤報を伝達してしまったことが気がかりとなった。

早速夫に、「鈴木さんの家が葬式っぽいムードだったから、てっきりじいさんが死んだんだと思い、そのことを雑貨屋のおやじに喋《しゃべ》ったのだが、今日じいさんが生きているのを見た」と説明した。夫は大笑いし、「雑貨屋のおやじ、『そりゃ大変だ』ってんで、香典《こうでん》持って鈴木さんちに行っちゃったんじゃねえ

生きてる!!

のか、オイ」と言った。もしそんなことになったら雑貨屋のおやじは空前の大恥をかくことになる。香典持って喪服を着た雑貨屋が「このたびはおじいさんが大変なことに……」などと下げた頭を上げてみたら死んだはずの鈴木のじいさんが居てしまうのだ。もうこの町内にいられない。

私は「鈴木さんのおじいさん、まだ生きてました」とあの雑貨屋に行って言おうかどうしようか何度も迷った。

しかし、もう香典持って行ってしまった後だったら……と思うと恐ろしくてとうとう二度と行けなかった。

雑貨屋のオヤジのてんまつを想うと胸がキュンと痛くなる。スポンジダワシを見るとますますキュンと痛くなる。スポンジダワシは三個一組であったため、なかなか消耗せずにいつまでも私の胸をキュンとさせ続けたのである。

スタミナドリンクの効用

私は仕事柄、スタミナドリンクを飲んで景気づけようなどという試みをよくする。

スタミナドリンクと一言にいってもいろいろあり、疲労回復から滋養強壮まで多種にわたっているが、私がよく利用するのは眠気ざましの効用があるものである。

吉本ばななさんが「エスタロンモカ内服液っていう眠気ざましがよく効くが、一日に一本だけにしておいた方がいいよ。そして本当に本当に辛《つら》い時だけにするように」という厳密な注意を添えながら教えてくれたので、早速買ってきて〃本当に辛くなったら飲もう〃と辛くなる日を心待ちにしていた。

何の苦労もなく辛くなる日はやってきた。私は漫画の原稿描きに追われ、アシスタントの娘《こ》一名と共に、夢と現《うつつ》をさまよいながら腰が立たなくなっていた。気をゆるめれば一瞬にして泥睡《でいすい》の沼に落ちることは確実だ。

私はエスタロンモカを手にとり、アシスタントの娘と共にそれを飲み干した。まもなく眠気と気力は回復され、〝おー、これは〟と感心しているうちに時は過ぎ、数時間後、ムリを押して活動していた疲れが一気にやってきた。私は心の中で〝エスタロンモカよ、もうちょっとがんばってくれ。あと少しなんだよ、おい〟と、体内のエスタロンモカの成分に向かって呼びかけたがそれはムダに終わり、もうちょっとのところで疲れに負け眠りこけたのである。

しかし、エスタロンモカはよく効いてくれた方だ。

ある疲労回復剤などは、たった一回の放尿《ほうにょう》で全て出てしまった。便器の中には〝ビタミンたっぷり〟といわんばかりのやたら黄色い尿が回復剤の匂いも混ざって漂っている。そして疲れだけが体内に空《むな》しく残留したのであった。

そんなある日、夫が〝サモン〟という強壮剤を持って帰ってきた。私はそれを素早く奪い取り、用もないのにグ――ッと飲み干した。

特に疲れていたわけでもなく、仕事に追われているわけでもなかったのにサモンを興味本位で飲んだ私は、だんだんムダな力が湧いてきて「ヤ――ッ」なとどおたけびを上げて柱をけったりして孤独に盛り上がっていた。

私のみなぎる活力は驀進《ばくしん》したが、発散する場がないため、次第に怒りのパワーに変容していった。

そして私はその怒りを、ジェリー藤尾《ふじお》の妻に向け始めたのである。別にジェリー藤尾と知り合いなわけでもなく、その妻とも何の関係もない私だが、何回かワイドショーで見かけたジェリー藤尾の離婚の事情を順を追って思い出し、あの妻に非常に腹が立ってきたのだ。

私は鼻息を荒げ「まったくあの妻はっ。子供たちまであの妻のことを最低の女だって言ってるんだよ。どれだけ悪いかわかりゃしない。藤尾も子供たちもかわいそうだ」と、あの妻に対しての真剣な怒りを夫に語った。

あんたにジェリーのきもちがわかってたまるかっ
あたしゃねぇ真剣なんだよっ

ジェリー藤尾の一家について
熱くなる図。

そしてひと通り怒ったあとはジェリー一家のこれからの成り行きを心底《しんそこ》心配し、その心配話も夫にとくとくと語ってきかせた。

夫は私の飲んだサモンのくだらない効き目ぶりに目を見張っていた。そして「おい、何でジェリー藤尾の一家の事情にそこまでおまえが立ち入らなきゃなんないのか。よ――く考えてみろ。ジェリーはジェリーで何とかするよ。おまえの出る幕じゃないだろう」と、淡々と冷静に私を説得した。

私は夫に「あんたにジェリーの気持ちがわかるもんか」などと自分自身にもわかりようのないジェリー藤尾の気持ちを夫に投げつけ、さらに「ジェリー藤尾の一家は昔『欽《きん》ちゃんの〝家族対抗歌合戦〟』に仲よく出場していたこともあるのに……」という思い出を延々と語り始めた。

夫は疲れた顔で「もうジェリーはたくさんだ」というようなことを言いながらジロリと私の方を見、「用もないのにサモンを飲むから、ただただ無駄な怒りのエネルギーに振り回されているのだ。頭が冷えるまで独りでいろ」と、ついに愛想を尽かしどこかの部屋へ去ってしまった。

独りになった私は怒りのエネルギーが段々〝考えるエネルギー〟に変わってゆくのを感じていた。

そして、〝なぜ私はジェリー藤尾のことであれほど熱くなってしまったのだろう〟と、深く考え始めた。

そもそも、私はなぜジェリー藤尾の妻がそんなに悪かったのか全く詳しく知らない身の上であった。ジェリー一家のことはジェリー一家にしかわからないのである。

〝考えるエネルギー〟は次第に反省のエネルギーに変わっていった。そしてやみくもに怒っていたことをジェリーの妻に申しわけなく思うと共に、私はジェリー一家が仲よく〝ソックタッチ〟のCMに出ていたというようなことだけ覚えてればいいのだ、という清らかな気持ちになっていった。

私は台所でウロウロしている夫を摑《つか》まえ、「本当に、私の出る幕じゃないね」

とつぶやき、それと共にサモンの効き目が消えてゆくのを感じていた。

わけのわからぬ怒りや反省に翻弄《ほんろう》された時が過ぎた後、夫はおもむろに「おそらく、サモンって〝巨人の星〟の左門豊作《さもんほうさく》からつけた名前であると思うよ」と私に告げた。

私は〝なるほど〟と思い、あの怒りは、貧乏な家庭に生まれながらも家族を支える左門豊作の情念が乗り移ったのかもなァと、どうでもよい悟りを得たのであった。

夏の病院

私が不安定な手荷物を両手いっぱい抱えて病院を訪れたのは23歳頃の真夏であった。

友人がお産をしたため、そのお見舞いにフラフラと出掛けたのである。

手荷物は、途中で見つけた時計草《とけいそう》という花の鉢植えと切り花数本、そして何かお菓子らしき包みと数冊の本とバッグであった。

私は病院の門をくぐり、受付で友人の病室のナンバーを尋ねた。

友人は四階だか五階だか忘れたが、とにかくエレベーターに乗って行かなければならない部屋にいると聞かされた。

私は振り向き、エレベーターをさがした。ちょうどその時、病院のフロアは掃除中であり、エレベーター付近は床がびしょぬれで暗黙に立ち入り禁止の状態であった。

が、私はエレベーターに乗りたかった。炎天下をずっと歩いてきたのである。四階だか五階まで、階段など使いたくない。一歩だって上《のぼ》るのは嫌である。

私は迷わずエレベーターの方に進んで行った。掃除中の床は何やら濡れているようだが構いはしない。

まっしぐらにエレベーターに向かって進む私を止める者もいなかったので、私はそのまま掃除中の床に侵入し始めていた。

そして転んだ。

スッテ――ンと、漫才師がギャグで転ぶように、絵に描いたような転び方をした。転ぶ途中の0・数秒の間《ま》に、両手に持っている荷物の全てが一回転したのを横目で確認できたのが余計哀《かな》しい。

フロアにいた人全員が「あっ」と言って私を見た。見て当然である。私もそんな者が居たら、直ちに注目し、「あららら」などとつぶやく方である。

辺《あた》りはシンとなった。誰か笑ってくれればいいのに……と私は思いながら、気まずく起き上がろうとした。

が、その床は水と一緒に洗剤が混じっていたらしく、私は中腰まで立ち上がりかけたところでまた滑って転んだ。

二度も滑って転んだ23歳の女を目前にし、フロアはより一層静まり返っていた。

掃除中の床一面が、悪魔の沼のように思えた。私はこの床の上で水びたしになって、何をひとりで泳いでいるのだろう……。

死んでしまいたい私に向かって、掃除エリア外からおじいさんの「アンタ、何やってんの？　階段階段。若いんだから階段使わなきゃあ」という鈍いしわがれ声がフロア中に響く音量でエコーがかかり木霊《こだま》した。

私は犬のように這《は》いながら沼から脱出し、ベトベトになったズボンを引きずり、意味のない笑顔をおじいさんに向かってうっすら浮かべ、階段に向かって全力で走って行った。

フロアからは、ようやく遅い笑い声が聞こえていた。それを背中で聞いたわけである。

私は涙を流して階段をかけ上った。最初からこの道を選べばよかったのだ。階段の途中で先程の洗剤が後を引き、足元が二〜三回ツルリとなった。全くいまいましい限りである。

泣きベソをかいて友人の部屋にとび込むと、産後の友人は私を見て大変驚き、一体外は自分が入院している間にどうなってしまったのかと真剣に尋ねてきた。

私は友人に今起こったばかりの惨劇を語った。そして何か替えの服を貸してほしいと懇願した。友人は産後の体を苦労して動かし、私に上着とスカートを笑顔で手渡してくれたのである。

私なら見舞いに来て患者に迷惑をかける友人など、「来ていらん」と思ってしまうところであったが、このように優しい友人の行動を目のあたりにしてからは、この先もし自分が入院しても、滑って転んだ見舞い客には親切にしようと力強く思ったものである。

あいにく友人の貸してくれた洋服はマタニティードレスであった……。お腹《なか》に子供がいるわけでもなく、空腹でなおさらペチャンコになっている腹を気にしつつ、マタニティー姿の私は夕暮れの電車に揺られていた。

……そういえば、頭にヘンテコな帽子までかぶっていたのであった。世にも奇怪な格好をしながら〝今ならシルバーシートに堂々と座れるんだ……〟と、虚《うつ》ろな目で少しだけ得な条件を考えていた。

前世日本人の疑い

私は、2歳半頃、ある日突然隣の家の〝パーマック　ドライクリーニング〟と書かれた看板を読みあげて親を驚かせたという記憶がある。

両親は驚きあわてふためいて私を抱き上げ、家の店の中に積んである〝キュウリ〟や〝オレンジ〟等と書かれた箱のカタカナを片っぱしから私に読ませまくった。

なぜそれが読めたのか、全くわからない。私はその後、平仮名を教えてもらい練習した記憶はあるのだが、カタカナは一度も教えてもらった記憶はない。

それは長い間、ずっと私の人生の中の最大の謎《なぞ》として心の中に蓄積されていた。

ある日、そのことを友人達と話しているうちに「それは、あなた、前世日本

クリーニング屋の看板を読み
父をおどろかせた思い出。

人だったのよ」という結論に至った。

私は前世など、あってもなくてもどっちでもよい、肝心なのは今の心意気だと思っていたが、どう考えても前世日本人だったという方が納得がいくという風向きになってきた。

考えてみれば、私はずいぶん幼い頃は、神童ではないかと親が色めき立つほどいろんなことが明晰《めいせき》にできた覚えがある。それは昔の人が〝読み書きそろばん〟を寺子屋で習っていたレベルのことが非常によくできたのだ。

友人の話によれば、自分の祖母はカタカナは書けるが平仮名は書けないと言う。そしてそろばんはできるがそれ以上のことはできないと言う。

私もそうであった。簡単な計算は幼児の頃からスイスイできたが、学校に入り少し複雑な算数になると一気に何もできなくなった。

期待していた親は年を追うごとに私への希望を失《な》くし、哀れな後ろ姿だけがやたらと目についたものである。

私には前世の記憶が幼い頃に宿っていたのだ。それだけのことだったのだ。そう言われてみれば、私が前世日本人であったかもしれないと裏づけられる思い出が続々とよみがえってきた。

5歳頃であろうか。私は近所の牛乳屋の店先に飾ってあったコケの盆栽にすっかり心を奪われてしまった。そして寝ても覚めても盆栽のことばかり考え、ついに自分でコケの採集に出かけ、汚い石にドブで拾ったコケをはりつけ、床の間に飾ろうとして家族から激しく反対された。それでも私は懲《こ》りずに、親類のおばあさんから盆栽をもらいうけ、それから数年間の長い盆栽愛好期に突入したのである。

小学校時代はランドセルを背負ったまま園芸センターの盆栽コーナーをひやかしに行き、クロマツだのカラマツだのと口走る私に親は呆《あき》れていた。肥料代をよこせとせがむ私に「おとなしく『おそ松くん』でも読んでりゃいいのに」と父ヒロシはつぶやいていた。

中学に入ってからもますます私の盆栽熱は高まりをみせ、盆栽の良さを日記に書き担任に提出するというバカげた行為にまで及んでいった。

日記を見た担任の先生は大笑いをし、その日記を昼の校内放送で流すことを決定した。

私は驚き、「たのむからそんなことはしないで下さい。私は先生にだけ読んでいただければと思い……」と、声を上ずらせて抗議したのだが、先生は「いやあ、まあまあ」などと話をはぐらかし、それはそのまま放送されることになったのである。

その放送は、私もそんなことを忘れてしまった頃に何の前ぶれもなく行われた。なごやかに過ぎゆく弁当の時間、放送部の放送委員の声で「盆栽と私」というタイトルが学校中を駆けめぐったのだ。

体中に♪チャララ〜〜〜ンという重い旋律と共に〝笑い者決定〟という絶望感が響き渡った。

クラス中から「さくらのババァ」というささやきがこだまし、私は穴を掘ってでもいいから入りたいと、身を固くしながら切望していた。胸が苦しくなるような思い出である。

また、私は子供の頃から幾度となく〝喋《しゃべ》り方がババ臭い〟と指摘されていた。背を丸くして「あたしゃねェ」やら「……ってなもんでねェ」などと手振り身振りで語る姿が、何とも言えずババ臭いのだそうだ。そのうえシブ茶が大好きで、私の前に出涸《でが》らしの茶などもっての外だというのが家族の間では暗黙のオキテとなっていた。

TVをつければ〝お好み演芸会〟などを喜んで観ているし、風鈴の音が大好きで、何回も窓辺につるしては強風にあおられて割れる夏が過ぎていった。

どうしてこんなにババァ臭いのだろう。むしゃくしゃしながらハイカラなカフェバー等に行っても、ちっとも面白くない。どう考えても地味な赤ちょうちんに心惹《ひ》かれて行ってしまう。

　私は本当に前世日本人なのであろうか。そう考えると、今回の人生は日本に生まれたからよかったものの、来世もしちがう国に生まれたら、私は日本のカタカナを引きずりながら、苦労して一から外国語を学ばなければならない。そしてシブ茶もしょうゆも落語も無い世界で、日本にあこがれながら一生を終えるのかと思うと、先のことながらやや気が重くなるのである。

お見合い騒動

姉が21だか22の頃、母はよく見合い話を持ってきていた。

姉は当時保母をしていたので、若い男と知り合う機会が無く、母は「おねえちゃんが嫁に行きそびれる」と大騒ぎをし、誰それかまわず「いい人がいたら紹介してちょうだい」と声を掛けていたのだ。

ある日、私がバイトから帰ると台所のテーブルの上に何枚かの見合い写真が並べられていた。母は「ももこも見てみなさい」と言うので、私は「どれどれ」と背中を丸めて見に行った。

一枚目の写真は、鶴太郎《つるたろう》とそっくりな男が陽《ひ》に照らされて写っていた。

二枚目の写真は、神経質そうなヤサ男がメガネをかけて写っていた。

三枚目の写真は、これといって特徴のない男がうれしそうな笑顔でダラリと写っていた。

母は神経質そうなメガネを気に入っているらしく、一押しで姉にすすめていた。

姉は仏頂面《ぶっちょうづら》をし「冗談じゃないよ」と聞く耳もたぬという様子であった。見合いする気のない姉を、母は厳しく叱《しか》りつけ、「あんたねェ、いつまでも時任三郎《ときとうさぶろう》がいいだのとんねるずの誰それがいいなんて言ってる場合じゃないんだよ。全くバカだね。会うだけでもいいから何が何でも会ってちょうだいよっ」と早口でまくしたてていた。

「あんたもちょっと言ってちょうだい」と母からせかされ、私もあわてて「会って気に入らなきゃ断ればいいんだから、気軽に会ってみたら」などと取ってつけたようなことを言った。

母は一方的に神経質なメガネ男との見合い話を進めてしまい、「いやだいやだ」と言い続ける姉のツーピースまで新調し、着々と見合い計画に備えていった。

見合い当日、姉は行く間際まで「いやだよう」と言い張っていた。母は姉の背中をドンと押し「さっさと行きなさい。バカな話はするんじゃないよ」とひと言かけ、重い足どりの姉を見送っていた。

数時間後、戻ってきた姉を待ってましたとばかりに摑《つか》まえた母は「どうだったどうだった?」と感想を聞いていた。姉は「全く好みのタイプじゃない。向こうもあまり乗り気じゃなさそうだったから、もうすぐ断りの電話が来るであろう」と予言者のように語り、自分の部屋に去って行った。

母の顔には残念無念という文字が浮き出ていた。私は慰める言葉もなく「……まだ若いんだし、そのうちいい人みつかるよ」と、また取ってつけたようなセリフを吐いた。

しかし、二日後、先方から「また会いたい」という連絡があり、母は逆転ホームラン並みの笑顔を体中から発し、姉に「さあ行け!!」と命令していた。

大あばれする姉

姉はそれはもういやがり、大地震前のナマズのように暴れていた。

暴れる姉を父と母が押さえつけ、母は「あんたっ、ハタチ過ぎてもタイプがどうのなんて現《うつつ》ぬかしてるんじゃないよ。結婚なんてのはねェ、結婚してから良さがわかってくるもんなんだよ。ねっ」と、まだ彼氏もいない私に同意を求めてきた。この母は加速しているなァと思いつつ、私も「うん」とつられて返事をしてしまった。

姉が泣く泣く再度見合いの待ち合わせ場所に出掛けた後、母は近所の占い好きのおばあさんのもとに走った。そして姉の結婚について占ってもらうと、おばあさんは「うーむ、この子はこの見合い話がまとまれば、早くにお嫁に行って幸せになれるが、まとまらなければ次の婚期はかなり遅れ、晩婚になるでしょう」と告げたらしい。

母は家に帰って来るなり「晩婚になっちゃ困るんだよ」と絶叫し、この見合い話をどうにかしてまとめる方針を固めていた。母は私に向かって「あんた、お姉ちゃんに、時任三郎やとんねるずなんて、この世にいないと説明しな。いつまでもそんなのがいると思われてちゃ、あたしゃ困るんだよ」と血走った目で迫ってきた。そして父ヒロシに向かって、「おとうさん、あんたもお姉ちゃんに、結婚ってもんをよく言って聞かせてちょうだい」と、抽象的なテーマを投げつけていた。口下手なヒロシは気が動転し、「お、おう、結婚てのはなァ、ふたりで仲よく暮らすもんだ」などとくだらないことを私と母に向かって喋《しゃべ》り始めていた。

やがて姉が帰ってきた。姉はハンドバッグを放《ほう》り投げると、「何回会っても好きなタイプじゃない」と言い捨て、自分の部屋に去ろうとしていた。

母は姉の腕を摑み、「ちょっと待ちな」とスケ番のような口調で姉をその場へ座らせた。

そして、「あんた、あの人のどこが気に入らないのかね。立派なお家《うち》のおぼっちゃんで立派な大学を出て留学までした人だよ。おまけに顔だって悪くないじゃないか。こんな人がよくうちみたいな貧乏人の娘を気に入ってくれたと思うよ」と言い出した。

姉は「立派だか何だか知らないけど、全く共通する話題がないんだもん。だって、『TVは何を観てますか』って言ったら、ニュースと報道特集以外は観ないって言うんだよ」姉は顔をしかめていた。彼女の好きな番組は『オレたちひょうきん族』とUFOや超能力の特番である。

母は「ニュースや報道番組を観る人でけっこうじゃない。男の人はそうでなきゃ。いつまでもくだらないもんばっかり観てる場合じゃないんだよ。ねえ」と父に同意を求めたが父はくだらない番組ばっかり観ているので返事をせずにヘラリと笑って話題が変わるのを待っていた。

姉は「それから、おとうさんの趣味は狩りだか何だかで、家の屋上には猟犬が三匹いるんだってさ。わたしゃ父の趣味が飲酒だなんて恥ずかしくて言えなかったよ」と言った。

とにかく何もかも我が家とはちがう世界の人なのだ。それでも母はまだ姉に食い下がっていた。

「あんたねェ、もっと大人になんなさいよ。玉《たま》の輿《こし》ってのはこういう話のことを言うんだよ。むこうが気に入ってくれてるんだからそれでいいじゃん。あの人と結婚しなさいっ」

あまりの母のしつこさに、姉はついに怒り狂い、「そんなにあの人が好きなら、おかあさんが生まれかわって結婚すりゃいいでしょ。わたしゃ絶対いやだ。いやだようっ」と怒鳴り、布団の上で大暴れし、ワンワン泣き出した。

私と父はオロオロし、お互いに顔を見合わせて、ひょっとこのように口を曲げることとしかできなかった。

母は暴れる姉の尻《しり》をピシリと叩《たた》き、「バカッ、あんた晩婚になってもいいのかねっ」と叫んでいた。姉は泣きながら「べつにいいもん。だって……だって……あの人、ドイツ人と日本人の国民性の違いなんて質問してくるんだよ。おかあさん、答えられる？」とつぶやいた。

母と私と父は静まり返り、姉の泣き声だけが響いていた。

〝ドイツ人と日本人の国民性の違い……〟三人の脳裏には、ソーセージしか浮かばなかった。

もうおしまいだ。誰もがそう感じた。

母は翌日先方に「大変もったいない話ですが……」と断りの電話をかけていた。

姉はそれ以来二度と見合いはしなくなり、占い師の予言通り、晩婚の気配を感じている。

いさお君がいた日々

私が通っていた小学校には、特殊学級というクラスがあった。このクラスは普通の学習についてゆくのには少し難しいと思われる子供が入るということになっていた。

このクラスでは一年生から六年生までの生徒が一緒の教室で学んでおり、約二十人程で構成されていた。生徒の中には遠い街から電車で通ってくる子供もおり、いさお君も遠い街からお母さんに連れられて来る子供の一人だった。

いさお君がこの学校にやってきたのは私が小学校三年の時だった。全校集会の時、校長先生から「今度、この学校の特殊学級に来ることになったいさお君です。いさお君は三年生です。みなさん、仲良くして下さい」と紹介され、我々三年生はド肝を抜かれたものである。明らかにいさお君は15歳ぐらいの風《ふう》貌《ぼう》であった。身長だって倍くらいある。全員あっけにとられていると、いさお君はとてつもない大声で「よろしくお願いしマッス」と叫び、少しの間朝礼台から降りようとしなかった。

私は〝ものすごい人がやってきた〟と思い、内心わくわくしていた。そしてその日から、いさお君のことが気になって仕方ない日々に突入したのである。

いさお君はいつも同じ顔をしていた。どこにいても同じ顔をしていた。笑いもしなければ怒りもしなければ泣きもしなかった。普通の学級の生徒がいさお君にちょっかいを出し、いさお君のことを笑ったりあざけったりしていたが、いさお君の顔は変わらなかった。振りまわされているのは周りの子供達だけで、いさお君は間違いなく自分の中心を持っていた。

いさお君はよく図書館で百科事典を見ていた。私はいさお君を見つけると、必ずなるべく近くの席に座るように心掛けていたので、その日も早速近づいていった。彼のつぶやきが聞こえるのが楽しみだったのである。

いさお君は繰り返し「ブラジル、ブラジル」と言っていた。開かれた事典のページには、ブラジルの国旗が描かれていた。私は彼に、「いさお君、ブラジル、好き?」と尋ねると彼はいつも通りの顔で「ブラジル」と答えた。その通りである。ブラジルはブラジルだ。好き嫌いの問題ではない。私は愚かな質問をしてしまったと反省しつつ自分の読んでいた本を閉じた。

とにかく私はいさお君が好きであった。興味本位での好奇心や、色恋《いろこい》沙汰《ざた》の感情ではなく、「そこにいる人」というだけの、何もかも超えた圧倒的な存在感が彼にはあった。

ある日、彼は学校を抜け出した。その日、二時間目の授業中、突然全校中のスピーカーから「全校生徒の皆さん、只今、特殊学級のいさお君が学校から逃げ出しました。今、先生方が手分けをして探していますが、もし見かけた人はすぐに知らせて下さい」という緊急放送が流れたのである。逃げ出したというより、行ってみたいから行ってしまったという方が的確であろう。

クラス内の生徒達は騒然となった。呆《あき》れた顔や苦笑する顔がチラホラ目に入った。

私は心の中でいさお君に大声援を送っていた。いさお君が行ってみたい所に行ってほしい。いろんなものを見て自由に楽しんでほしい。誰もいさお君の邪魔をしませんように。大脱走したいさお君のことを思うと、何か熱いものがこみあげてきて、居ても立ってもいられない気分になっていた。

昼すぎ、また全校のスピーカーから緊急放送が流れた。「全校の皆さん、いさお君が見つかりました。いさお君は電車に乗って遠い街の八百屋《やおや》の店先で、トマトをとって食べようとしているところを捕まりました。お騒がせしました」という報告であった。いさお君が食べたいと欲したトマトをちゃんと食べさせてもらえたかどうか、私はそのことだけが心配であった。

六年生になり、修学旅行のバスで、私の隣に偶然いさお君が座ることになった。特殊学級の六年生は三名しかいなかったので、普通学級のバスに一名ずつ分乗されることになったのだ。

私の隣の補助席にいさお君と彼の世話をする先生が乗った。私は心の中で「いさお君、よくぞ私の横に来てくれたねェ」と大喜びをし、彼らの会話を聞くことにのみ神経を集中させていた。

いさお君についていた先生は男性で、とてもいさお君を大切にしていた。先生は「いさお、この袋の中に五百円入っているから、決して落とすんじゃないぞ」と強く言い、いさお君に袋を握らせた。いさお君は必要以上に大声で「はいっ」とだけ言い、いつもと変わらぬ顔で前を向いていた。私はいさお君と先生の間にある強い絆《きずな》を感じた。

卒業式の日、私達と一緒にいさお君もいた。いつもと変わらぬ顔をしていた。一人一人名前が呼ばれ、校長先生の前でおじぎをし、卒業証書を受けとってゆく。式は滞りなく進んでいき、一番最後にいさお君の名前が呼ばれた。

いさお君は「はいっ」と大きな声で返事をし、ステージの上に登り、あっという間もなく、校長先生の前で土下座をしてしまった。そして三回程「ハハ〜〜〜ッ」というヒレ伏しの行為を繰り返し、スックと立ち上がり卒業証書を受けとって去った。

その後、静まりかえる式典の最中、彼は二回放屁《ほうひ》し、いつもの顔で卒業していった。

私は最後まで彼のゆるぎない存在感が気になっていた。明らかに自分に無い何かを彼は持っている。そしてそれは途方もなく大きな何かだ。

私は家に帰り、学校でもらった卒業文集を開いた。自分の書いたものより先に、いさお君の書いたものが見たかった。

——あった。

いさお君の書いた絵と文字があった。

「たこあげ大会」　いさお

そのあとには、たこあげ大会でたのしかった思い出が書かれている。浜でねころんで見た自分のたことみんなのたこの事が書かれている。

その絵は、自分と、水筒と、上がっているたこと、浜辺の石。彼の書いたものの中に、私の失いかけていたもの全てがあった。彼の眼は全て映している。浜辺の石も水筒もそのまま映している。選んでいない。ニュートラルな感性で物事を映す心がいかに得がたいものか。彼はいつも全てに対してニュートラルなのだ。そこに彼の絶対的な存在感がある。

私は卒業文集を開いたまま泣いた。わんわん泣いた。心の底からいさお君を尊いと思った。そしてその時、いさお君のエネルギーは私の中のどこかのチャンネルを回してくれたと確信している。

おさるの住む家

先日、私はついに「色気がなさすぎる」と夫から指摘された。

私は「いいじゃん。別に」と言って、鼻クソをボリボリほじっていた。

夫は「どうしてうちの妻だけこんなチョンチョコリンなのだろう。これじゃ毎日おさると暮らしているようなもんだ」と言って嘆いている。

おさると言われた私はうれしくなり、「ウキキッ」と部屋中走り回ってテーブルの上のバナナを摑《つか》み、部屋の隅に丸くなって座ってそれをムシャムシャ食べ始めた。

夫は私が自分の話を真面目に聞かないことに腹を立て、「なんでいつも僕のパンツをはいているのだ」と、ついにそのことまで指摘してきた。

私が夫のパンツをはき始めて、かれこれ三年が過ぎようとしている。三年前、夫のトランクスがあまりにもラクそうだったため、試しにはいてみたところ、やみつきになったのである。

夫にパンツを指摘された私はウヘヘと笑い「いいじゃん。だってラクなんだもん」と言いながら、腰を浮かせてオナラをプーとした。

私のオナラで夫はますますイラ立ち、「なんでスカートをはかないのだ。みんな26歳にもなったら女盛《おんなざか》りでキレイじゃないか。ボディコンが似合う体になれ」と言っている。

私はオシャレなんて興味がないのだ。昔は少しはシャレっ気もあったが、ここ数年そんなもの全くなくなってしまった。そんなもんより面白いことがたくさんあるからだ。

服も、「ラクに着れる」というのを基準に選んでいる。だからいつもダランとしたシャツに親せきのおばあちゃんが縫ってくれた特製のゴムズボンをはいている。私はこの格好でバタバタ走り、「えいえいオー」と飛び跳ねたりするのが好きなのだから仕方がない。

夫はさらに「なんだその髪型は。僕は長いのが好きだって言ってるのに、なんでそんなに短いんだ。鼻クソをほじるクセをやめろ。子供だか年寄りだかわかんない状態をやめろ。ヒトだかサルだかはっきりしろ」といろいろなことを言い出した。

私は「ウキ〰〰ィ」と本当にサルのような声を出し「あんたねェ、そんなこと言うけどねェ、あたしがチャラチャラとバッグがほしいだの宝石がほしいだのってワガママ言う女だったと思ってごらんよ。大変だよ。そんなことひとっ言も言わないんだから、あたしゃ。そのうえ色気がないなんて、けっこうな話じゃないか。色気なんてないから、あんた、安心してられるんだよ。これで色気なんてムンムンしてたら、気持ち悪いよ。あたしゃ、色気なんかで男をごまかすのは大っキライなんだよ」と、口から出まかせをポンポンッと言ってやった。

夫は〝サルのくせに生意気な〟というような顔をし、「とにかく、髪だけでも伸ばせ。わかったね」と言いながらテーブルの上のバナナを取っていた。私がさっきバナナをおいしそうに食べていたのを見て、自分も食べたくなったのだ。

私は「ウキィ〜〜〜」と叫んで走り、階段ですべって転んでスネを打ち泣いた。青くなったスネを見て、夫の言うことを聞かなかったバチが当たったのだと思い、髪だけは伸ばそうと思った。

そして、エッセイ集のタイトルは『さるのこしかけ』にしようと思いついたのである。

集英社に行く

静岡にいたころ、東京の大手出版社というものは、神の住《す》み処《か》だと思っていた。そのくらい自分とは縁のないものであるし、何しろ全国に情報を送る発信地なのである。有名な作家の先生方もいるであろう。編集者はみんなアインシュタイン並みに天才であろう。

そんな大手出版社のひとつ、集英社から電話がかかってきたのは、私が19歳のとき、漫画家としてのデビューが決まった七月十三日の金曜日のことである。

その日夜九時ころ、我が家の電話が鳴った。私は何回か漫画を投稿し、それが何度か賞を受けていたこともあり、「もしやデビューが決まったのでは」などと親の前で口走りながら電話口まで走って行った。親の「そんなことあるわきゃないじゃん」というような声を背中で聞きながら、私は二階の茶の間から一階の店先の電話まで転がるようにして全力で駆けて行った。

その頃の私は非常に電話にマメに出ていた。毎回毎回「もしや!!」と思っていたのである。そして毎回「もしや」の期待はハズレ、くだらない野暮用の電話につきあうことも多かった。

しかし、今回の電話はちがうと感じていた。「もしや」が本当になりそうな気がムンムンしていたのだ。

私はゼーゼーと息をしながら電話をとった。「もしや」が本当に当たった場合、集英社の編集の人に向かってそんな荒い息をしていたらみっともないと思い、深呼吸のひとつやふたつしてから出たいところであったが、二階から一階まで走る間にベルは十回ぐらい鳴っているから、万一切れてしまいでもしたら悔やんでも悔やみ切れない。

私は「もっもしもし」と、なるべく呼吸を押さえながら電話に出た。

「集英社の『りぼん』編集部ですが、おめでとうございます、デビューが決まりました」

その声と共に「ジャジャ〰〰ン」という〃おめでとうの音楽（作曲者・自分の内面）〃が鳴りひびき、私は腰がグラつきながら「ほ、ほんとうですか」などと言い、先程の呼吸の乱れに興奮による心臓の動悸《どうき》がプラスされ、ますます「ゼーゼーハーハー」となってきた。しかし、そんな鼻息を荒くしているのが集英社のアインシュタイン並みの天才に聞こえては失礼だと思い、私はお腹《なか》に力を入れ、なるべく息を止めるようにしていた。

息を止めている私の状態など全然知らずに集英社からの声は私の耳に届いている。

「よかったですねーっ。アハハ。がんばって下さいねーっ」アインシュタイン並みの天才の励ましの声に私は「はいっ」と力をこめて答えていた。「はいっ」のついでに息つぎもした。

アインシュタイン並みは続けて「今度、一度編集部に顔見せに来て下さいよ。

静岡ならわりと近いし」と言うので私はまた息つぎがてら「はいっ」と言い、ついに神の住み処へと行くことになったのであった。

両親は、デビューが決まったことを非常に驚き、「東京の人にだまされているんじゃないのか」と言ったり、「こんなことが起こるなんて考えられない」などと苦悩する始末であった。

三日後、母は私を連れてワンピースを買いにデパートへ走った。「東京の人に会うのなら、キチンとして行った方がよい」と言い、あれやこれやと熱心に洋服を物色していた。

私は何やら着慣れぬ赤いワンピースを着せられ、犬の首輪にも似た重たいネックレスを首に下げ、東京に行くことになった。出掛ける前に母は「集英社の人とはいえ、世の中には恐ろしい人や悪い人もいっぱいいるのだから、だまされるんじゃないよ。誘われても断るんだよ」などと老いぼれた顔に〝不安〟という文字を浮かばせながら私に言いきかせていた。

私は新幹線の中でもずっと〝東京の恐ろしい人や悪い人〟のことを考えていたので、隣の席のオッサンを、早速そのような人だと思い込み、なるべく目を合わせないようにしようと、ずっと窓の外の風景を眺めていた。

すると隣のオッサンは、「ちょっと、お嬢さん」と私に声をかけてきたので、私はハッとし、〝……やっぱり、早速このありさまか。東京の人だか何だか知らないけど、わたしゃ誘いは断るよ〟と思い、ジロリとオッサンの方に冷たい視線を向けてやった。

するとオッサンは、実に善良な笑顔で私にアイスクリームをくれたのだ。私が気づかぬ間に、車内販売の売り子から、私の分まで買ってくれたらしい。

私の頑《かたくな》な心は、雪解け水の百倍の速さで流れまくり、一時《いっとき》でもオッサンのことを疑った自分を恥じた。

オッサンと私は仲よく同時にアイスクリームのフタを開けた。そして食べ始めようと思ったのだが、そのアイスクリームが石のような硬さであったため、なかなかスプーンですくえないという馬鹿げた事態が発生してしまった。

こんなに硬いアイスクリームに出会ったのは初めてである。オッサンも苦戦している。

私達は、無言になった。ふたりとも、ただひたすらアイスクリームに全力を注ぐ者になった。手の熱で温めようと思っても、手の方が先にシビれてきて一向にアイスクリームは柔らかくならない。オッサンと私は、ますます無言になっていった。

他の席の人々は、皆穏やかな表情で、東京に着くのを待っている。こんなに苦労しているのは私達だけだ。私はこれから神の住み処を訪れようとしているのに、一体何でこんなことを……しかし、本当に大ピンチになるのはこれからであった。

ついにスプーンが折れたのである。まだ一口も食べていないのに、だ。

私の心中《しんちゅう》は混乱した。まずい。非常にまずい。せっかくオッサンがくれたアイスクリームを食べないわけにはいかない。しかしどうやって……。

私の折れたスプーンを見てオッサンは、「硬いですね……アハ……アハ……アハハ」と、助けようのない笑いを浮かべている。彼だって困っているのだ。私は冷静を装い、「硬いけど、こうやれば、食べれます……」と言い、アイスクリームのフタを半分に折り、スプーンのかわりにして食べることにした。地獄絵図であった――。

そのまま東京駅に着き、私とオッサンは何となく笑い、気まずく別れることになった。私は東京駅のトイレで、アイスクリームがベトベトにくっついた手を洗いながら考えた。何であのオッサンは私にアイスクリームをくれたのであろうか……。そしてあの硬さは……。後にも先にもこんな経験はしたことがない。変わったことがよりによって肝心な日に起こったものである。幻《まぼろし》のようなひとときであった。

やがて私は中央線その他を駆使し、集英社近辺をウロウロしていた。約束の

犬の首輪のような
ネックレス。
東京の人はみんな
キチンとおしゃれして
いるだろうと思って
着てきたワンピースだが
だれもそんなの東京の人は
着ていなかった。
(ちなみに服の色は赤。)

時間までにはあと三十分も余っていたが、田舎者の私は都会での時間のつぶし方を知らず、ウロウロするより方法がなかったのである。

炎天下の中、さんざんウロつき目まいがしてきた頃、やっと約束の時間になったので、いよいよ私は神の住み処の門をくぐった。

エレベーターに乗り、『りぼん』編集部に入る。吐き気がするほど緊張しながらドアを開けた。

そして上《うわ》ずった声で「こんにちはさくらももこと申します……」と言ったとたん、誰かが「なんだ、普通の人じゃないか」と、すっとんきょうな声を発した。どんな者であると思われていたのだろうか。

私は珍妙な笑顔で顔面を歪《ゆが》ませながら、ダラリと流れる汗を背中で感じていた。

私を案内してくれたのは山本さんという人であった。山本さんは編集部の人人を順々に私に紹介してくれたが、私は「ハァ」と答えるたびに順々に誰が何だか忘れていった。

山本さんは、最後に隅の机で何か書いている男を紹介した。「彼は、おたよりページを書いているあの〝みーやん〟です」その〝みーやん〟というアダ名で呼ばれる男はペコッと頭を下げ、ちょっと笑顔をし、また机に向かって何か書き始めていた。

私は〝みーやん〟のお便りページが気にいっていたので、「ああ、あれが……」と思ったのだが、顔を確認するのも失礼なので、一瞬にしてどんな顔か忘れ去った。

数分後、みーやんが私と山本さんの所に来て「あの、お茶は何にしましょうか」と尋ねた。彼はまだ新入社員だったため、来客にお茶の注文をとる仕事などもしていたのだ。

ところが前述の通り、私はすでに〝みーやん〟の顔を忘れていたので、てっきり『りぼん専属のボーイさん』かと思い、さすが集英社はやることが違うなァなどと感心していた。そして、たとえ専属のボーイさんとて、立派な大学を出ていらっしゃるに違いない、とさらにつけ加えて勝手に感心していたのである。

みーやんは「どうしましょうか、お茶は」と繰り返している。私は清水っ子だ。清水は茶処である。お茶といえばお茶に決まっている。何にしますかと言われてもお茶はお茶としか言いようがない。

私は「あの、お茶って……お茶ですよね？」とモソッと言った。みーやんは〝この人はお茶といったら本当にお茶だけだと思ってるんだ……ちがう、ちがうよアンタ〟と言いたげな表情で「……あの、お茶といいましても、例えばオレンジジュースですとか……」と言った。

私はハッとし、ドラマ等でよく都会の人はジュースやコーヒーを飲む時も「お茶にしよう」と言っているのを思い出した。それであわてて「あ、それじゃそのオレンジジュースで……」と、みーやんが例として言っただけの飲み物をたどたどしくお願いしたのである。

山本さんは「オレはアメリカンのダブル」だか何だかと難しいことを言っていた。やはりアインシュタイン並みの人達というのは飲む物の注文のしかたまで素晴らしいものだと私はますます恐れ入り始めていた。

山本さんはプロの漫画家の生原稿を持ってきて私に見せ始めた。

私は「ハァ〜〜〜」とタメ息が、しまりのない鼻から口から出るばかりで、まことに美しい原稿を前に、これは〝触れてはならない物《アンタッチャブル》〟だと思い、そんな物を簡単に小脇に抱えて歩く編集者達はやはり神であるなァと思ったのである。

だんだん私は、自分の心の中をこの人達は読んでいるかもしれないと思い始めてきた。この人達は何しろ偉いんだから、そのくらいのことは容易にするかもしれない。

やがて、みーやんがオレンジジュースとアメリカンのダブルだかを運んできた（注：この時もまだ私は彼がみーやんではなく専属のボーイさんだと思い続けている)。

暑かったので私はオレンジジュースをグッと半分ぐらい飲んだが、それは喉《のど》が焼けつくほど甘く、かえって喉が渇いた。しかし神の家で贅沢《ぜいたく》を言ったらバチが当たると思い、残り半分も残さず飲み干した。山本さんの飲んでいるアメリカンの何とやらが、大変うらやましかったが、あれは神様達の飲み物なのだから私の手の届く物ではない。

今まで背を向けて黙っていた渡辺編集長が、ゆっくりとイスをこちらに向け、クチビルを斜め三十五度ぐらいに渋く上げながら「キミ、何人兄弟?」と尋ねてきた。

ついに大神《おおみかみ》物申す、という感じである。

私はあっけにとられ、兄弟は何人かという単純な質問にさえ答えるのを手こずってしまった。

この「ワタナベ」という編集長様は、時々『りぼん』の中でもその名と共に似顔絵が描かれているではないか……ああ、ありがたい、本当に「ワタナベ」というんだ、おおマイ・ゴッド……!!

——あの日、私がずっと専属のボーイと勘ちがいしていた〝みーやん〟と数年後結婚することになり、この〝唇斜め三十五度曲げ〟のゴッド・ワタナベが仲人をすることになるなんて、たとえイタコがノストラダムスを呼んで予言させたとしてもわかりっこない人間関係なのであった。

飲尿をしている私

飲尿《いんにょう》が体にいいと噂《うわさ》になってからもう二年余り経っている。

私も一回だけ以前試したことがあったのだが「こんなことするくらいなら死んだ方がましだ」と思い、そのときはやめてしまった。

しかしそれからしばらくして、夫が飲尿の本を買ってくるなり「ボクはやるぞ」と、いきりたっていたので、私は非常に驚き、あわててその本を読んでみた。

本によれば「とにかく何にでも効く」というようなことが、いろいろな実例と共に列挙されており、ものすごく説得力がある。これまで様々なインチキ商品にダマされてきた私であるが、飲尿なら万一インチキであったとしても被害額は0円《ゼロ》である。効果がなかったらそれでもいいじゃないか、自分のオシッコ

飲尿初期。
尿を見つめ、ドキドキしている。

ではないか、飲もう飲もう、飲みさえすれば、いつかいいことがあるかもしれない、そう思ってまた飲んでみることにした。

飲尿は、息を止めて飲むのがコツである。息をしながら飲むと飲みにくいのだが、息を止めて飲めば意外と楽に飲める。「エエイッ」とやってしまうのが一番である。

飲尿三日目くらいまで、飲むのに勇気がいる。オシッコの入ったコップを手にしながらしばらくドキドキし、捨て身のトライとなる。思考回路を止め、ゴボボ……と一気に流れゆくオシッコに、喉も舌も全て身をまかせるのだ。そうすれば問題はない。あとは急いで洗面所で口をゆすぎ、体調が良くなるのを待つだけである。

私の場合は、飲んで一時間以内に体内の便が全部出る。汚い話なのでイヤな人は読みとばして下さって構わないが、本当に全部出るのだ。別にお腹《なか》が痛いわけでもないのに、水のような便がジャンジャン出る。オシッコのような便なので、油断してオナラなどしようもんなら大変である。そんなのが五分〜十分おきにくる。これは朝一番の尿に顕著に見られる現象で、それ以外の時飲んだ尿にはそこまでの威力はない。朝一番が特に効くのだ。

ジャンジャン便が出たあとは気分大爽快《そうかい》。こんなにさわやかでいいのかね、という気になり、体操なんかしてしまう。身も心も軽やかになりホップステップジャンプなどと口走ってしまう自分にハッとすることもしばしばだ。

飲尿を始めて一ヶ月ぐらい経った頃、手足や首すじがカユくなってきた。飲尿の本を読むと、飲尿の効果は人により様々で始めてからしばらくすると一見体調が悪くなったように思われることがあるがこれは〝好転反応〟といいその人の悪い所の細胞が変わるために体調が悪くなったように見えるだけでそのまま続ければ必ず良くなる……というようなことが書いてあり、体がかゆくなったり眠くなったりダルくなったりする場合があるというのだ。

私は体がかゆくなってきたので「しめしめ、オシッコが本格的に効いてきたぞ」とほくそ笑《え》み、ボリボリ体をかきながらニヤニヤしているという無気味な日々が二週間程続いていた。

二週間もするとかゆくもなくなり、私の体調はバリバリ良くなっていった。いつも腰が痛くて情けないと思っていたのだが、いつの間にか全く痛くなくなっており、肩も凝《こ》らなくなっていた。以前は毎日何となくダルかったのに、今じゃもう全然ダルくもない。まるで子供の頃の体に戻ったようである。

私は早速飲尿のことを友人知人に話したが、なかなかやる人はいなかった。皆一様に「ふーん……そんなに効くモノが、オシッコでなかったらやるんだけどねェ……」と言っては目をそらす。私もこればっかりは強制するようなモンじゃないのでそれ以上は勧めないがもったいない話だと思うのだ。

これがウンコじゃなかったことだけでもありがたいではないか。もし〝食《しょく》ウンコ療法〟だったらかなり苦しいと思う。勇気だってオシッコを飲む場合より百倍ぐらいは必要である。そして便秘をしてたらその日はできない。それがオシッコだったからこそ、こうして気軽にできるのだ。

もう、トイレに行って普通にオシッコをしている時など「もったいない」と思う程、私はオシッコに熱を上げている。何で効くのかなんて科学的に解明されなくてもいい。何だかわからないけど効くというのがまた面白いのだ。

興味のある人はぜひやっていただきたい。みんな身も心も軽やかになり、ホップステップジャンプと口走ってほしいものである。

実家に帰る

結婚して、一ヶ月位の時であろうか。

私は、何の用事でか、それとも用事も無かったのか、さっぱり忘れたが、なぜだか清水《しみず》の実家にひょっこり帰って行った。

ひょっこりというからには本当にひょっこりだったため、急に帰った私を見て両親は慌てふためき「正隆さんと何かあったのではないか」というようなことをマイルドに何回か尋ねていた。

私は「何も起こっていない」ということをさらりと話し、あとはくだらない出来事を適当に話していた。

母は今、吉本ばななさんの本を読んでいるところだという話をし始めた。それによると、

「あんたが吉本ばななさんと仲がいいっていうから、わたしゃここ二十年も小説なんて読んでなかったけれども読んでみたよ」

といういセリフから始まり、自分がどれほど吉本ばななに共感をしているかということを、アワを吹きながらカニのように延々と喋《しやべ》りまくり、「来年の八十八夜には、ばななさんに新茶を送る」という地味な予定でしめくくった。

いつもと変わらぬ母がいて、いつもと変わらぬ父がニヤニヤしている。いつもと変わらぬ柱時計が時を告げ、いつもと変わらぬ陽差《ひざ》しの具合が台所を薄明るく照らしている。

私が二十年も駆け回っていた家だ。頭をぶつけて恨んだことのある柱も、見れば見る程ヒトの顔に見えてきて気持ちが悪いと思っていた天井の木目も、急な階段も、全て優しくおさまっている。

父は「これ食え。うまいぞ」と言って、市場から買ってきたばかりの果物を持ってきた。父が「これ食え」と勧める物は本当にいつもおいしかった。それも昔と変わっていない。

前と違うのは、私がここに住んでいないということだけだ。もうこの家でぐうたらしている私の姿を見ることはない。そして私はこの家で親に叱《しか》られることもない。

私は東京に出て行く時、そういうことになるであろう寂しさは覚悟していた。家を出るというのは、もうたまに帰郷したとしても自分はお客さんなのである。

ゴロゴロと寝ころんで母のヒザ枕でTVを観て家族で笑うなどという時は帰ってこない。会える機会が少ないから、会えた時にはTVを観るより他にしておきたい伝達事項が多すぎるのだ。

湯水のようにあったはずの家族の時間はいつのまにか蒸発して無くなっていた。父も母も姉も居るのに、私が住んでいた頃にはあった何かは確実に失われたのだ。

夕方になったのでそろそろ帰ると言った私を誰かが引き止め、少し帰りが遅れてしまった。

タクシー乗り場まで母が見送りについて来た。ふたり並んでゆっくりゆっくり歩いていた。

別れ際に、母は「もう、お嫁に行ったのだから、帰ってくるんじゃない」と言った。私は驚き、「なんで？」と問い返した。

母は厳しい顔で「ひとりで帰ってくるんじゃない。もう、あそこの家の子じゃないんだから」と言った。私は「いやだ」と言いたかったが喉《のど》が詰まって何も言えなかった。

母は間違いなく泣いていた。結婚式の時は泣かなかった母が泣いていた。

私はタクシーの中で振り返ったが、もう母の姿は見えなくなっていた。

東京に戻るまでの間、ずっとずっと今すぐ母のところに飛んで帰りたい想いで胸が張り裂けそうだった。私が上京した時の別れより、結婚した時の別れより、何より一番悲しかった。私には、もう帰る家が無くなったのだ。お嫁に行くとはそういうもんなのだ。

東京に戻り、私はトイレの中で独りで泣いた。夫が心配するといけないので、声を殺してクウクウ泣いた。トイレから出たら、またいつもの顔で笑おうと思ったが、なかなか涙が止まらなかった。

やっと泣き終え、私は母に電話をかけた。電話のベルは二十回余り鳴った末、ようやく母の声がきこえた。

「もしもし……何、ももこ？　何？　なんか用事？」

その声は、明らかに寝ているところを起こされた声であった。

母も今ごろ泣いているかもしれないという私の想いは消え失《う》せた。寝てた彼女に用はない。

私はさっさと電話を切り、数時間前の母の涙も、私の悲しさも、みんな架空の出来事だったに違いないと思えてきた。

　そして、今自分が住んでいる所が自分の家なのだから、清水はよその家であたり前だと力強く思い、元気に清水のお茶をゴクゴク飲み干したのである。

その後の話

「痔」と「飲尿」のこと

さて、私は前回のエッセイ集で水虫がお茶っ葉で治ったという報告を記し、水虫で悩む数々の方から「やってみたら本当に治った!! どうもありがとう」という知らせを受けた。誠にうれしいことであった。地道に人の役に立ったなァと、夕日に向かって万歳三唱である。

そして調子にのり、今回も自分で試した民間療法を記してみることにしたのである。

人に打ち明けられぬ病《やまい》、〝痔《ぢ》〟。私はなりかけであったため、たった一回で治ったのかもしれないが、ドクダミはその辺にはえている雑草なので、それを二~三枚摘んできてよくもみ、肛門《こうもん》に入れとくだけである。悩んでいる人はやってみると良いと思う。治らなかったら病院にいった方が良いが、お金もかからないので、もし治ったら得だし、試して損はないと思われる。
　飲尿は、私が勧めてもやる人はいなかったが、興味のある人はやってみても毒ではないことは確かだ。私は一年やってみたが、このように元気なのだから。（ちなみに私の知り合いでは、私の勧める前からやっている元気な者は数名存在する）
　私は『事実が語る尿療法の奇跡』（ＪＩＣＣ出版局）という本を読んで、やることを決意した。他にも飲尿の本は何冊か出ているらしいので、それらを読んでからやってみるのも良いし、私の報告だけを信じてやってみるのもオツなものであろう。
　とにかく、みんな元気で健康に暮らせたらいいなぁと思う。また、何か良い効き目のある方法を見つけ次第、私は報告しようと思っている。やや期待していただきたい。

「台風台湾」のこと

台湾で入院している時、わが社の田上さん（美人・但し既婚）がお見舞いにくれたモノは、説明のしようもない程変わっているモノであった。説明のしようもないので、図を見ていただきたい。この二匹の〝何か〟の不思議さは、ツチノコやネッシーの比ではない。

木でできてるのかヒョウタンのような物なのか、その材料も明らかでなく、新しい物なのか古い物なのかもわからない。

購入した店の人の話によれば「店のオーナーが外国で見つけたモノを売っているだけだから、全く何もわからない」と言っていたそうである。

図

ということは、もはや台湾のモノでもないというわけで、つまりものすごく何もわからないモノだということのみがわかった。

私は今まで、これほどまでに何もわからない物は持っていなかった。一番わからないモノでも〝エスキモー人形〟であった。しかしエスキモー人形は作った人がエスキモーであることは明白だ。そして人形というからには、それはヒトを象《かたど》ったモノであることがすぐにわかる。完敗だ。田上さんのくれたモノの謎《なぞ》の前には全面降伏するしかない。

私はその〝謎の物体〟を非常に気に入り、お見舞いにそれを持ってきてくれた田上さんは、なんと私の好みをよくわかっている人なんだろうと、呆《あき》れる程感心したのである。普通なら、お見舞いには正体の明らかな物を持っていくことが多いのに、よくぞここまで徹底的にわからない物を下さった。入院中の私が、コレを見ながら何度〝謝謝《シエイシエイ》〟と思ったことか。

〝謎の物体〟は現在、家の階段の棚に置かれている。この先、何百年間も〝わが家の謎〟として子孫に語り伝えられることを秘《ひそ》かに望む。

「インド駆けめぐり記」のこと

本文中に書き忘れたが、ジャイプールの宝石屋のインド人は非常に占い好きな人であった。

こちらから頼んでもいないのに「占ってやる」と張り切る彼の情熱に、私達は逆らえず、大麻さんが餌食《えじき》となったのである。

大麻さんは宝石屋に掌《てのひら》を見せたとたん「おまえは自分の父親と、うまくいってないだろう」と言われ、「いや、そんなことないですけど……」と言い返すと、「ウソをつくな。オレの目を見ろ」と命じられた。

目を見ろと言われても、そんなことないのだから仕方がない。必死で否定する大麻さんを前にインド宝石屋は私達に向かって「彼は、ウソつきだ」と目で合図をしていた。

ウソつきよばわりされた大麻さんは、続けて「おまえは十年前に結婚しただろう」と全然違う結婚日を押しつけられ、「おまえは損をすることが多い」とネガティブな人生を言い渡され、おまけに「おまえは65歳で妻より先に死ぬ」という聞きたくもない情報まで与えられた。そして極めつけに「おまえはSEXが弱いと言われているだろう」という低俗な線への探りを入れられ、返す言葉のない時間が数分間バクバクと流れていったのである。

そのあとにあの〝ショーケースの下に潜っての食事〟である。インドだから許されるとか、そういう問題ではない気がする。

しかし、いろんなことがあった旅であり、もう二度と行きたくないと帰国直後は思ったがあれから数ケ月たった今、何となく懐かしく思えてほのぼのしている。

あの宝石屋の家の美しい娘〝インドの宮沢りえ〟から絵ハガキが届いた。彼女は今日もあのインドの空の下で、毎日同じような生活をしているのであろう。そして、ダンドゥロッドでずっと手をつないで歩いたあの小さな女の子も――。

「名前の分からない物の買い物」のこと

あのとき、「ミカンの輪切りの歌」としか手がかりがなかった大滝詠一さんのレコードであったが、数年後、私は夫に大滝さんの素晴らしさをじっくり教えてもらった。

以来、私は大滝詠一さんを尊敬し、その素晴らしい仕事ぶりに恋こがれる日々を送っていたのだが、そんなある日〝大滝さんの家へ行く〟という話が持ち上がり、私達はリオのカーニバルの前夜祭のように歓喜した。なぜそんな事になったのかというと、今年六月にNTTのキャンペーンのCMで大滝さんの手掛けた曲『レッツ・オンド・アゲイン』を起用させていただくことが実現し、ついにご本人とお会いすることになった為である。それだけでも充分うれしすぎるのに、ましてや大滝さんのお宅へおじゃまさせていただくというこの至福な計画!!

夫は私よりもずっと前から大滝さんのマニアだったため、「こんな日が、まさかやって来るなんて……」と、何度も深呼吸して気を落ちつかせていた。一方私は即席カメラの〝写ルンです〟をバッグにしのばせ、大滝さんと一緒に写真を撮ろうと企《たくら》んでいた。

大滝さんのホームシアターでは、大滝さん御本人が編集なさった〝小林旭《あきら》〟の渡り鳥シリーズ名場面集等を見せていただき、私達はどれほどうれしかったことか。

大滝さんのレコード室にはそれはもう、大滝マニアが泣いて欲しがる珍盤名盤貴重盤がワンサカ保存されており、私達はどれほど生唾《なまつば》をゴクリと飲んだことか。

ときめきの中で時は過ぎ、大滝さんと夫は何やら難しい洋楽のことを話し始めていた。私は大滝さんと夫が日本語で話しているにもかかわらず、それの意味がさっぱりわからず、ポルトガル語かイスラエル語でも聞いているように思え、あっという間に眠くなってきてしまった。

〝尊敬する大滝さんのお話の最中に、眠ったりしたらいけない。そんなことでは全くいけない〟と強く念じていたのだが目は自動ドアのように閉まり、私はダルマのように身を固くして眠り始めたのであった。

ダルマの私に声をかけてくれる人もなく、二時間余りが無駄に過ぎ、気がついた時には帰る時間になっていた。

私は大滝さんの優しい笑顔に見送っていただきながら、後悔と申しわけなさで窒息しそうであった。

でも、御本尊と会えることになるとは、「ミカンの輪切り」のあの頃と比べ、赤ン坊から仙人になったと思う程の感慨である。

「夢が叶った悪夢」のこと

あのときの左手のケガのせいで、私は今でも時々左手首が痛い日がある。恐ろしいことである。あれから十五年も経《た》つのに、まだ痛むことがあるとは、本当にケガはしないに限る。

当時、医者は「もしかしたら、右手と左手の腕の長さが多少違うようになるかもしれません。特に気になさることもないと思いますけど……」ということを告げていた。

それから何年も、私はそんなことは忘れていたのだが、20歳の時、リクルートの洋服を作ってもらおうと寸法を測りに行った際、そこのおばさんが「あら、あなた、右手と左手の長さが違うわね。テニス部だったの？」と言った。私はハッとし、あの医者の言葉を思い出したのである。

私の左手は右手より五センチも短くなっていた。普通にしていたらわからないが、ちゃんと比べてみるとよくわかる。

私は「へー、なるほど、本当にお医者さんってのは、先のことまでよく見通しているもんだなァ」と感心し、それ以来、少々得意気に人に「ねえ、私、右と左の手の長さ違うんだよ」などと腕を披露《ひろう》し、あの事故の話を語るようになった。

しかしあの〝骨の矯正《きょうせい》〟の痛みはとんでもない激しさであったので、当時の私は母に「ねえ、矯正の痛みと、出産の痛みと、どっちが辛《つら》いかな」と尋ねてみた。

母は五分ぐらい考え、「う〰〰ん、出産もかなり苦しいからねェ。まァ、トントンってとこかな」と言った。私としては「出産の方が楽である」と言ってほしかったのだ。そうすれば、あの矯正の痛みに耐えた自分は、出産なんて楽勝だと思えるではないか。私は、矯正の痛みを、〝痛み体験〟の最高のキャリアにしたかったのである。

しかし、トントンだと言われた私には、出産の痛みの程度が結局つかめず、ただただただ出産への恐怖は広がる一方なのであった。だがその予定はまだない。

「フケ顔の犬」のこと

フジは、相変わらず私が苦労して連れて来た恩を忘れている。そして私が実家に帰る度にゴウゴウと吠《ほ》えまくる。

私が「バカめ」と憎まれ口をたたくと、フジは「なにをォ、この女」という顔をし、本気になって向かってくる。犬は言葉がわかるのだ。私が慌てて「ごめんごめん、今のウソ」と謝ると、フジは「ケッ、弱虫め」という顔になり吠えるのを止める。

奴が仔犬の頃、母が虫下しを飲ませたことがあった。

姉はそれを知らずにフジを散歩に連れてゆき、叫び狂いながら自分だけ家にすっとんで帰ってきた。

姉はギャーギャーとフジの尻からソーメンが出てきたと説明し、私と父が現場に駆けつけた時には一束《たば》分ぐらいのソーメン状の虫が出ていた。

虫下しというのは本当によく効くなァと感心し、私はじっくりソーメンを観察し始めた。

怒りっぽい人は本当にカンの虫が腹の中にソーメン状になっているのではないかと思う。あんなヘンな虫が腹の中にいたら、精神的に不安定になるのもムリはない。虫下しを飲むべきである。〝腹の虫がおさまらない〟などという慣用句があるのも、全て本当に腹の中に虫がいるせいなのだ。

虫を下したフジは、腰を悪くした以外にカゼひとつひかず元気に暮らしている。

私は心から犬を飼いたいと思っているのだが、夫は「ダメだ。生き物を飼うと別れがつらいし自由が制限される。フットワークが重くなるのはいけない」と言い、決して許してくれそうもない。

ただし、万一ポール・マッカートニーが犬をくれた時だけは飼ってもいいと彼は言った。

ポール・マッカートニーが犬を私にくれる可能性は0パーセントに限りなく近い。しかしポール・マッカートニーでよかった。今は亡きジョン・レノンと言われるよりも、まだ可能性が残されているのだから……。

「前世日本人の疑い」のこと

もし私が本当に前世日本人だとしたら、私の姉は前世インド人かタイ人である。そういう方面の女性の顔立ちをしているのだ。

私の顔とは全く異なる。姉は自分でも「私はインドやタイの方面だったと思う」などと言っている。彼女は幼い頃からカレーが好きであった。そして私はカレーなど全く興味がなく、しょうゆ味が好きであった。

インド人の姉と、日本人の私が、どういう縁で今回姉妹になったんだろう。

そしてインド人と日本人の子供を持った父ヒロシと母は一体何なのか。全くわからないが何かあるにしても無いにしても面白いことである。

「お見合い騒動」のこと

これは姉に知らせずに書いたので、姉は怒るかもしれない。しかし、私の身内である以上、どんなことを暴露されても諦《あきら》めてもらうしかない。

姉の見合いの時期というのは、私は本気で家庭崩壊の心配をしたものである。思春期の若者が家庭内暴力をして親を困らすことがあるように、遅ればせながら我が家にもそれがやって来たと思える程、姉の反抗は激しかった。

母もかなり悪いのだ。イヤだというものは無理を言ってはいけない。私や姉に幼い頃から「人のイヤがることはするな」と教えてきたのはアンタだろ、と言いたくなる。母は、姉に対して史上空前の「イヤがること」を強制したのだ。

姉はそれから長い間、母と必要以上の口をきかなくなった。そして、彼女は母に何か用事があると私に伝言を依頼し、私は母からその返答を受け、姉に返すという愚かなメッセンジャーとして暗躍していたのである。

一方父ヒロシはそのような母娘の冷戦状態を見て見ぬフリをし、毎日のほほんと暮らしていた。一見一番間抜けに見える人物が、一番賢く生きていたというわけである。

彼は誰からもほめられもせず怒られもせずデクの棒と私達から呼ばれるとは、宮沢賢治が生涯をかけて目指した理想像に、何の模索もせずやすやすと到達していたのではなかろうか。私は少しそう思う。

「いさお君がいた日々」のこと

いさお君のおかあさんは、いさお君をとても大切にしていた。

それも、私がいさお君を良いなぁと思う理由のひとつであった。

言葉が成立していなくても、愛が見えていた。いつもいさお君を迎えに来るあのおかあさんは、いさお君を管理しているのではなく可能な限りの自由を与えていた。

大切なことが山ほど詰め込まれている存在であった。どうかいつまでも元気でいてほしいと思う。本当にそう思う。

インド人
さるのこしかけ
読むがよい

友蔵
心にもない俳句

友蔵

巻末お楽しみ対談

周防正行（映画監督）＋さくらももこ

ウンコ踏んじゃった

さくら　本日はありがとうございます。
周防　こちらこそ、光栄です。
さくら　本日はよろしくお願いします。
周防　あっ、はい。義理の母からも、くれぐれもよろしくと……。
さくら　あっ、こちらこそ。
周防　なんだか緊張しますね。何から話をしようかな。あ、そうだ。インドのデパートのゲームセンターに、ちびまる子ちゃんの小さなバスがあったんです。お金を入れると前後左右に揺れる幼児向けの乗り物なんだけど、助手席にちびまる子ちゃんの人形が乗っていて、運転席に子供が座るんです。驚いちゃった。乗ってた女の子に

『ちびまる子ちゃん』って知ってる？　って訊きたかったけど、通訳さんがいなくて。

さくら　詳しく知っててくれるとうれしいですね。友蔵の事とか永沢君の事なんかも（笑）。

周防　インドにまた行っていらしたんですって？　『さるのこしかけ』のなかにも、インドの話が出てきますけど、今回はどこに行かれたんですか？

さくら　今回のインドはジャイプールと、あとネパールのカトマンズの方へ。

周防　どうでした？　僕も『インド待ち』を集英社から出させていただいたんで、インドの雰囲気は、一応わかりますけど。

さくら　インドはおもしろいけど疲れますね（笑）。今回はノンノの宝石の取材だったんで、宝石工場の見学とかそういう部分は楽しかったんですけど、毎日がほんとうに疲れました。街がゴチャゴチャしてて人や車が多いでしょ、インド人のなかにいるだけで、あの混乱したパワーで疲れるんですよ（笑）。周防さんもインドに行かれているからわかると思うんですけど、ウンコとか、多いし……。

周防　僕のインドは、あまり偉そうに言えないんです。インドに行く人なら誰でも行くガンジス川も見なかったし、観光コースのタージマハールにも行ってないんです。インドは歴史もあるし、たくさん見るところもあるんですけどね。僕の場合はとにかく、毎日、撮影所めぐりばかりでしたね。ところで、さくらさん、ウンコ、踏みました？

さくら　たぶん、踏んだと思います。ウンコを踏むとテンションが下がりますね。何か、ガクッという感じ(笑)。私、案内してくれた人たちには申し訳ないんですけど、実は観光はあまり好きじゃないんです。朝、早く起きなければいけないし、観光地だから人込みのなかを歩かなければいけないし。でも、せっかく来たんだからって連れていかれるんです。でも、行けば行ったで、景色とかはすごくきれいなんです。ところが、そこまで行くのがおっくうで。暑いし、ほこりっぽいし。疲れたから自転車の人力車みたいなリキシャに乗りたいと思うでしょ。そうすると、ガイドさんが運転手と交渉してくれたことはくれたんですけど、向こうが「百円」、こっちが「五十円」でもめて、結局は交渉決裂して、乗せてくれない。いいじゃん、五十円ぐらい余分に払っても、と思ってイライラしながら汗をふきふき歩いていたら、ウンコをまた踏んだりして。

周防　ガイドさんも日本人値段ができちゃうと嫌だから、そうするんですよね。でも、たしかに、そんな状況で観光地を巡っても、気分的に疲れるし、ウンコ踏んだら、なおテンションが落ちるな。わかるな。インドっていう所は、すべてが混沌としていると言うか、いいも悪いもそういうところなんですよね。お土産を売りにくる子供にもまいっちゃうでしょう。

さくら　買ってくれるまでずっとつきまとうでしょ。あれも、結構、消耗しますよね。

周防　インドに行ってね、ちょっと後悔したことがあるんです。いま思うと、ベジタリアン・メニューをもっと積極的に食べればよかったって。あれ、旅の後半になって食べたんですけど、メニューも豊富ですし、結構おいしいんですよ。日本でいえば精進料理ですよね。僕には、アメリカのベジタリアン・メニューのイメージがあったから避けてたんだけど。

さくら　私って、もともと辛いものが苦手なんですよ（笑）。それがインド。なので、前回の時はあまり辛くないメニューを必死で選んで頼んでいたんですけど、今回は取材の関係で、ご招待とか言って、別に、頼んだわけでもないのに、お呼ばれされることが多くて、料理を自分で選べなかったんです。宝石の取材でしたから、宝石商なんかの家に行くんですけど、当然、そこにはインドの家庭料理が出てくる。「さあインド料理ですよ。遠慮なく召し上がれ」なんて、原色のサリーをつけた奥様かなんかにニコニコされながら言われる。そうすると、食べないと悪いし、一応、かきまわしたりして、食べてるフリなんかして。

周防　そりゃ、大変だ。インド人のなかにいるだけで疲れる人が、インド人の招待で、インド人の家に行って、好きでないものを食べなければならないんですから、さくらさんが疲れる気持ち、よくわかります（笑）。

さくら　マハラジャに招待された時なんか、もう大変。ジャイプールのマハラジャは、マハラジャのなかのマハラジャと呼ばれている人で、もうインドの人なんか「あなたがこれから会いに行く人は、日本のエンペラーと同じくらい偉い人なんだから、そのつもりでいてください」なんて注意されて。ああ、めんどくさいな。いいよ、会わなくたってって思いました（笑）。で、行ったら、ものすごいお城で、飾りつけされたゾウが私たちを門のところで歓迎してくれて。門を入ってもすぐ屋敷じゃなくて、敷地も広いから、すごく歩いて、敷地内をグルグルまわりながらようやくお城のなかに入ったら、マハラジャがいて、乾杯したら、突然インド音楽が鳴り響いて女性のダンサーが踊りはじめて、あと、火を吹く男とか出てきて、花火が外でドカンドカンって上がって、もう、どうしようってうろたえましたよ。ノンノの取材っていうだけなのに（笑）。

周防　それは、すごい歓迎ですね。『踊るマハラジャ』もすごいけど（笑）。ほんとうのマハラジャは踊らないですよね、多分。

さくら　それで出てきた料理が、また、辛かったんですよ（笑）。マハラジャの招待ですから、高級料理が何品も出てきたんですけど、何かちょっとでも口にしなければ、エンペラーと同じくらい偉いマハラジャに悪いし、悪いけど辛いし、辛いからって料理をかきまわしても、量は全然減らないし、まわりにはインド人がたくさんいるしもう、泣けましたね、アレは。

周防　不思議なことに、インドに日本料理屋ってあまりないんですよね。たとえば、ムンバイ、日本人にはボンベイと言った方がわかりやすいですけど、あんな大都会にも日本料理屋がなかった。でも、中華料理店があって、そこの主人が怪しい日本語を話すヤツで「餃子アルネ、餃子アル」なんて。それで入ったら、日本製の醬油があって、なんだかうれしかったんで、本に「インドで日本の味が恋しくなったらぜひどうぞ」とか書いておいたくらいですから。

ふーん、几帳面なんだ。

さくら　ああ、周防さんはちゃんと覚えているんだ。私なんか、インドどころか、日本にいたって、店の名前なんか絶対に覚えられない。

周防　僕は別に取材じゃなくたって、行ったら店の名刺みたいなものは必ずもらっておきますし、レシートも絶対にもらうんです。そうすると、何をいくらで食べたかわかるでしょ。それで、何時にどこで誰と何を食べたかを、パソコンのスケジュール管理ソフトに入れておくんです。ついでに、何時に起きて、何を食べて、どこに行って、何時に寝たかっていうことも入力してます。

さくら　えー、それって、すごいですね。私なんか、いまだに原始的な手帳を使ってますから。手帳はあっても、そんなにメモをしないですよ。もう、ひどい時なんか、たとえば前もって、ある日の午後四時に人と会うことを約束してあっても、その日付の欄に「四時」としか書いてなくて、誰とどこで会うのか、さっぱりわからないことがあるくらいですから。「四時って、なんだったたっけ?」と（笑）。

周防　僕はどうも凝り性らしくて、パソコンを前に今日一日を細かく振り返らないと気がすまないんですね。だから、夜中に家に戻っても、必ず、その日の行動を記録してから寝ます。たとえば、インドに行った時のある一日の書き出しは、こうです。

七月十六日（金）、午前七時半起床。カフェで朝食。昨夜、徹底的にインドしてしまったのでウエスタン・スタイル。チーズ、トースト、プーリ（インド式揚げパン）、焼きトマト、ジャガイモ香草焼き、温野菜、グレープフルーツジュース、ミルクティー。九時十五分、ロビー集合。九時四十分、アクティング・スクールの取材に出発。二十五分もいったい何を待っていたのだ——。

こんなことから書きはじめてますね。こういう自分の一日の思い出を辿っている時間を、ほかに使っていたらすごく人生が豊かになったのではないか、と最近は思いはじめてますけど（笑）でも、パソコンの電源を入れるたびに、このソフトがあるかぎりやめられないという、ソフトに使われてしまっている僕の人生……（笑）。

さくら　私は、取材していてもメモをとったことがないんですよ。写真を撮らなければいけない時でも、もうめんどくさくて。それで、夜、寝るでしょ。本当は、夜、寝る前に今日取材したことをメモかなんかに書いておけば、後で原稿を書く時に楽なんでしょうけど、寝ようと思うと、躊躇なくグーッと本格的に寝られるんです。それで朝、スッキリと目覚めればいいんですけど、モタモタして起きられない。そうしているうちに、また取材になって、夜が来て……。「何か、取材したよね。なんだっけかな……」と思い出そうとしているうちに、また眠くなって、そんなことしているうちに、取材旅行が終わってしまう感じなんです。ですから、かなり忘れていることもあるんだと思いますけど、思い出すのもめんどくさいですから。

周防　それはいい性格かもしれないな。僕は逆で、一緒に行った人からはいつも嫌われるんですよ。さすがに僕も、食事をしている時は、メモをとれないんで、寝る前に思い出して、入力しておかないと気がすまないでしょ。忘れたりすると、「何食べたっけ？」って気になって、眠れないんです(笑)。ですから、夜、寝る前に同行のスタッフに「あのさぁ、ちょっと聞いていい？　今日の夕食食べた時さ、最初に出た料理なんだっけ、ほら、豆腐の前、何が出たっけ？」なんていちいち細かく聞くもんですから、ほんとうに嫌がられてる。

さくら　その方があとで必ず役に立ちますからね。ほんとうはそうしないといけないのかもしれないですけど、私には絶対無理かも。うちの近所によく行くレストランがあるんですけど、その店の名前がイタリア語なんですね。でも、覚えようとしないからいまだに名前がわからない。あんなによく行くのに。看板はカタカナで書かれているんですけど、覚えようとしないから、わからないんですね。イタリア語だっていうことはわかっているんですけどね、イタリア料理だから。そういう店は何軒もありますよ。ドイツ菓子を売っているおしゃれなお店があって、そこにもよく行くんですけど、いまだに名前がわからない。一文字も浮かばない。ただ「ブタの店」と言ってるんです。ブタの絵が描いてあったから（笑）。

周防　でも、そういうふうにしている人の方が、圧倒的に仕事の量が多いんですよね。仕事が忙しいから、覚えていられないんですよ。僕なんか、暇だし、極端なことを言えば、一日、日記を書いているだけで終わったりしてしまうもの。それが後で役に立つなんて到底思えないんですけどね。

さくら　『インド待ち』には、家族との会話から食べたものまで、きちんと書いてあっておかしかったですよ。

周防　これは基本的にはテレビの取材だったでしょ。だから、ビデオがまわっているわけです。そうすると、原稿を書こうとすれば、資料として、どうしてもビデオを見てしまいますよね。ビデオがあるばっかりに、じっと見てしまって、「ああ、あの時はこうだった」って、いやでも思い出してしまう。ビデオなんかなければ、諦めて自分が覚えていることだけで書けるんですけどね。だから、自分の記録をもとにして『インド待ち』の原稿を書きながらも、またビデオを見て、チェックして、「ああ、ちがう」って思って、また書き直したりして。

さくら　ああ、なるほど。几帳面なんだ、周防さんは。だから、映画の構成なんか、きちんとできるんですね。ふーん、そうなんだ。几帳面、几帳面。

俺、ヒロシだしな

周防　でも、さくらさんはエッセイのなかで、子供の時のこととか具体的なエピソードを書いてるじゃないですか。この『さるのこしかけ』だって、そうしたエピソードが満載じゃないですか。それこそ、さくらさんの記憶から生まれ出たものばかりでしょ。ほんとうにおおざっぱな人だったら、あんなにたくさんエピソードを記憶していないと思うんだけどな。

さくら　記憶といえば記憶なんですけど、記憶とは言えないでしょう。たとえば、母に叱られた記憶なんていうのは、私が清水に住んでいた二十年間じゅう、叱られていたんですから。毎日、同じことで叱られていてごらんなさい。それは記憶しようとしなくたって覚えていますよ。

周防　でも、それは記憶には間違いない。何しろ、覚えているんだから。それにしても自分の家族のことをあそこまで深い洞察力で書き込むさくらさんの勇気はすごいと思う。僕にはそんな勇気がないな。親が生きているうちは、この映画は作れないって思ったりするもの。

さくら　いえ、本に書いてあることは、そんなにたいしたことじゃないんです。むしろ、私の気持ち的には、家族からは、「きれいに上手に書いてくれたね」ってほめられてもいいくらいですよ。実際は、もっとすごいことを言い合っている。

周防　えー！　日常の方が強烈なんですか。

さくら　すごいですよ。うちは言いたいことを言い合う家族ですから。

周防　へえ、あんなに書いてるのに……。それにしても、お父さんなんか、大変だろうな。日本中から「ヒロシ、ヒロシ」って言われて。

さくら　ええ。大変ですよ。まあ、自分は「ヒロシだしな」って思っている程度のことですけど（笑）。面と向かっては「ヒロシさん」と言ってくれる人が多いようですけど、本人はそんな敬称なんかどうでもいいみたいですよ。「俺、ヒロシだし」って（笑）。でも、ヒロシ、よく言葉を間違えるんです。つい最近まで「ビンラディン氏」を「ランデビン氏」なんて言ってましたし、「ランデビン氏、なかなか見つからないな」って言うから「そんな人、いないよ、もともと」なんて突っ込んであげましたけど。

周防　ネタをまた振ってくれるわけですか。

さくら　この間、北海道に行ったんで、カニをお父さんに送ってやったんです。「お父さんカニを送ったからね」と言ったら、「おー、タリバンか」って。タラバの事を、真剣に間違ってるんですよ（笑）。

周防　それって、きっと考えに考え抜いて言ってるんじゃないかな。なかなか、侮れない感じですよ。

さくら　たしかに、ヒロシに関しては、侮れない。会話もなかなか聞き逃せないものがありますね。ですから、注意をして観察しなければいけないと思ってるんです。ネタも若いですからね、ほめるところが何もない父ですけど、そういうところが大好きなんです。あまり人に嫌われないですから。それって、大事なことですよね。

周防　さくらさんのお父さんに関して、ひとつ聞きたいんですけど、ヒロシはテレビの『ちびまる子ちゃん』観てますかね。

さくら　あんまり観てないと思います。たまに観ても、「おっ、なんだ、俺か」っていう感じです。ジャイアンツ戦と同じ時間帯でしょ。だから、その時間は、だいたい野球中継に夢中になっています。もちろん、ヒロシは、熱狂的なジャイアンツ・ファン。絶対に他球団は応援しませんから。ただ、「古田は欲しい」と言ってましたね（笑）。「古田を獲得しろ。俺は、あいつが出た時から欲しいと思っていたんだ」とか、言ってました。

周防　お母さんは、さくらさんの本を愛読しているでしょう。

さくら　母は必ず読みますね。すぐに読んで、感想は特に言わないですね。だから、私が無理やりに「読んだ?」とか聞くと、「ああ、読んだよ」と言うだけ。「で、どうだった?」と聞けば、「おもしろかった」と軽く言うんですけど、何がどうおもしろかったなんて、言わない。売れても、喜ばない。むしろ「調子に乗らないように」と言われるだけで、「読んでくれる人がいることに感謝しなさい」って言われたり

「こういう時代に生まれたことをよかったと思え」とか、厳しい意見ばかり。私としては、かなり親孝行者だと思っているんですけど、それでも母は私を「親不孝な娘だ」なんて平気で言いますからね。

周防　本を読んだだけの感想ですが、さくらさんのお父さんとお母さんのバランスが絶妙ですもんね。

さくら　極端同士ですね。母もヒロシみたいだったら、やっぱり家庭はとっくに崩壊していると思うし（笑）。逆に、父が母みたいだったら、険悪なムードになるんじゃないですかね。私は、両方からいろいろなものを受け継いでいると思いますけど、気持ち的には完全に父寄りですね。でも、あそこまでノンキじゃないですけど。うちの話より、周防さんの事を教えて下さい。周防さんは子供の頃から、映画監督になりたかったんですか？

監督は寿司屋になりたかった？

周防　僕は、野球の選手になりたかった。それと、お寿司屋さん。

さくら　お寿司屋さん？

周防　僕が生まれ育った昭和三十年代って、渋谷あたりには、立ち食い寿司屋というのが結構あったんですよ。いまでいう立ち食いソバ屋みたいな、カウンターしかない小さな店なんですけどね、お客さんは、カウンターの前で立って寿司を注文して、食べるんです。僕がまだ子供のころ、そこへ父親が、一緒に映画を観た帰りなんかに連れていってくれたんです。

さくら　いいお父さんですね。

周防　僕の父親は、お子様ランチとかいった子供用のものを一切与えない主義だったみたいで、立ち食い寿司屋に行っても「お前も好きなものを頼め」って言うんです。好きなものを頼めって言われても、わからないでしょ。だから、「タコ」とか「イカ」とかわかるものだけ言う。なにしろ、他のネタはわからないし、「タコ」と「イカ」を交互に頼んでいるから、「この子はタコとイカがすごく好きなんだ」と思われたみたいでしたけど（笑）。でも、その時のお寿司屋さんの若いお兄さんがかっこよくて、やさしかったんですね。帰りに自分が読みおわった漫画の本をくれたりして。それで、憧れて、大きくなったら、あのお兄さんみたいなお寿司屋さんになろうって思ったんです。

さくら　私がお寿司屋さんでお寿司を食べたのは、東京に来て、集英社の人に連れて行ってもらった時が最初です。それまで、お寿司は家で作って食べてましたから。

周防　それは、なに？　手巻き寿司とかちらしとか？

さくら　母が手巻き寿司も作ってくれましたし、握りもありました。

周防　へえ、さすが清水って感じ（笑）。

さくら　うち、八百屋だったでしょ。だから市場に行くと、青果市場の隣に魚市場もあるんです。それで、野菜を仕入れた後、魚市場にまわって、今日はお寿司にしようということになれば、材料を買ってきてしまうんです。そんな家庭でしたから、初めてお寿司屋さんのカウンターに座った時は、緊張しまくり。それで、編集者の人に「何でも頼んでください」って言われて、わからなくて、黙っていたら、その人が「中トロとウニ」をいきなり頼んだんです。それで、私は、お寿司屋さんのカウンターに座ったら、そう頼まなければいけないんだと思って、「中トロとウニ」って自分も言って、それから長い間、何回かお寿司屋に行くたびに、最初は何があっても、「中トロとウニ」だと信じてましたね。あれ、最初に中トロなんか頼んだら、怒り出すお寿司屋の親父とかいるんですってね。あとでわかった。

周防　うちの父親は、コハダではじまって、カッパ巻きで終わってた。

さくら　それはシブい！

周防　僕は、タコ、イカ、タコ、イカだったけど（笑）。何の話してたんでしたっけ。

ああ、そうだ。憧れの職業だ。僕は、ただ漠然と野球の選手かな、お寿司屋さんかなと憧れてただけですけど、驚いたのは、うちの奥さん（バレリーナの草刈民代さん）。八歳でバレエを始めたんですけど、その時から将来、プロフェッショナルなダンサーになるつもりだったんですって。

さくら　それはすごい！

周防　だから、他の仲間がみんなお稽古という感じでやっているのを横目で見ながら、「私は将来、プロのダンサーになるために今一生懸命やってるんだ」って、意識しながら練習してたっていうんだから。これは単なる憧れとか夢じゃないですよね。

さくら　えらいですね。私なんか、八歳のころなんか、漠然と漫画家になりたいとは思っていましたけど、歌の好きな子がアイドル歌手になりたいと思うのと、同じような憧れの感覚でいましたよ。母なんか、私が「漫画家になりたい」なんて言うと、「漫画家になるんだったら、手塚治虫さんみたいに、まずはお医者さんの免許をとってからにしたら」と言ってましたから。そうは簡単になれないよっていうことを教えたかったんでしょうね。それにしても、えらいですねえ、周防さんの奥さん。

周防　えらいかどうかは別にして、普通の子はきれいな衣装を着て、発表会で踊るぐらいが夢でしょう。それをそんな小さいうちから、「プロのダンサーになるんだ」って思って他のことには目もくれずバレエのレッスンに打ち込んでいたなんて聞くと、ちょっと末恐ろしい子供って感じがしますよ。

さくら　恐いですね、たしかに。私なんて、空想ばかりしている子でしたから、何を目指すなんて考えてもいなかったですよ。それから十年たって、十八歳になって漫画の賞をもらいはじめてからですね、将来を意識したのは。もしかしたら、本当に夢が叶うかもしれないってときめいたことを覚えていますから。今思っても、すごくきらめいていた日々でしたね。

周防　わかる、わかる。

さくら　当時の私の家は二階建てで、一階が八百屋のお店で、家族は二階で暮らしていたんですね。でも、電話はお店にあったんですよ。だから、夜、電話が鳴ると大変なんです。下まで降りていって、お店の電気をつけて、それから受話器をとるっていう感じで。お店は閉めたら、真っ暗ですから。で、その頃、集英社から「漫画家としてデビューが決まりましたよ」なんていう電話がかかってくるかもしれないと思ってましたから、電話が鳴ると大変でした。「あっ、電話だ、電話だ。早く行かなきゃ」なんて言って。冬なんかコタツに入っていたりするじゃないですか。コタツから出るのが億劫なんですよ、寒いし、下まで降りていくのもめんどくさいし。でも、あの頃は電話が鳴ると「集英社かもっ」って言ってサッとコタツを出て、階段をものすごい勢いで降りて、店まで行くのにちょっと靴を突っかけて、店の電気をパッとつけて、あわてて受話器をとってました。その間に猛スピードで行っても、十回ぐらいはリーンリーンて鳴ってしまうんですね。それで受話器をとると、間違い電話だったりして。いま思えば、夜の十時すぎに、「おめでとうございます。デビューが決まりました」なんて、漫画家の場合はかかってこないですよね。集英社の人だって、だいたいは顔を真っ赤にして、ぐいぐい飲んでたりする時間ですから。

周防　電話をかけるのを忘れてたりしてね。「おい、さくらさんに電話したか」「あっいけねえ、忘れました」「まあ、いいや、明日、忘れずに電話しておけよ。もう一軒行くぞォ」なんて、さくらさんと比べて、妙にリラックスしていたりして（笑）。

ああ、青春のピンク映画

さくら　そんなもんだったんじゃないですか、いま思えば。私の担当をしてくれている人たちをずーっと見回しても、みんなそんな明るい人たちですからね。まあ、それはともかく、私が漫画家としてデビューしたのが一九八四年ですけど、監督の映画デビューはいつですか？

周防　僕の撮った最初で最後のピンク映画が公開されたのも、一九八四年ですね。

さくら　ピンク映画？

周防　僕のデビュー作はピンク映画だったんです。なぜ、そうなったか、お話ししましょうか、少し長くなるけど。実は、僕は大学に入ってから、バイトで金を貯めてはじ自分で8ミリ映画なんか作っていた関係で、映画監督になりたいと思いはじめたわけですけど、なりたくてもなれない状況だったんです。なぜかって言うと、映画そのものがもう斜陽産業で、映画会社の社員採用試験なんてなかったんです。ですから、映画監督を志していた当時の僕が、最初に考えたことは、いかに映画の製作現場に潜りこむかっていうことだったんですね。その時、そんな不振な映画界でも一番映画を量産しているのが、ピンク映画業界だったんです。それで……、いいですか、こんな話をしても……。

さくら　どうぞ、どうぞ。

周防　それで、大学四年の時に、お手伝いしていた劇団の女優さんが、東京・新宿のゴールデン街でアルバイトをしていたんですね。その彼女に「うちのお店に、映画監督の高橋伴明さんがよく来るよ」って言われて、高橋監督の映画はよく観ていたんで、紹介してもらって、「助監督にしてください」って言ったら、「いいよ」って言われて。

さくら　よかった、よかった。

周防　でも拍子抜けした感じでしたね。あまりに順調なんで、なんだか大変なことを頼んでしまったんではないかって思いましたね、あの時。もちろん、高橋さんに断られたら、山本晋也さんのところに行く予定だったんですけど（笑）。それだけで、僕の人生はまた変わっていたかもしれないな。

さくら　うん、そうかもしれない。私もちっちゃいころから、お姉ちゃんとか友だちとかがなぜか『りぼん』を読んでいたんですよ。これが違う雑誌だったら、私の人生も変わっていたかもしれないもの。それで、それで……。

周防　ただ、親にはピンク映画って言えないんですよ。「あんたがそんなことをやっていたら、隣近所を歩けない」って言われそうだったし。僕はピンク映画の現場にいることは恥だとも思わないんだけど、親はそうもいかないですよね。

さくら　親には何と言っておいたんですか。

周防　教育映画を撮ってるって、言っておきました。ある意味、教育映画でしょ（笑）。それで五年ぐらい、年収三、四十万っていう、年収ですよ。そんなすごく安いギャラでやっていたら、そのうちに、プロデューサーから「そろそろ、あいつにも一本撮らせてやるか」って撮ったのが最初です。それで、その五年間の低賃金の恨みつらみをこめて、好き勝手に作ったピンク映画をのちに東大総長になった蓮實重彦さんがある雑誌でほめてくれたんです。そしたらピンク以外の業界の人たちも僕の作品を観てくれて、「今度、こういう作品を作りませんか」と声をかけてくれるようになったんです。ですから、僕の撮ったピンク映画は、その一本だけです。それからは、なんでもやりましたよ。カラオケビデオも撮ったし……。

さくら　わー、周防さんの撮ったカラオケビデオって観てみたい。

周防　カラオケビデオって、おもしろいんですよ。あれは三分か四分でしょ。だから、その間に、物語をどう作るか。歌に合わせて、別れなら別れで、どんな映像に持っていくか考えるわけです。これはこれで、いいトレーニングになりましたね。

さくら　それって、役に立っていると思いますよ。

周防　立ってるとは思うけど……。

さくら　いや、絶対すごく役に立ってますって。私も、漫画家になりたかったんですけど世の中には漫画の上手な人がたくさんいるんですね。それで、一本描いて送ったら全然ダメだったので、やっぱり漫画家路線は厳しい、と判断して、次にエッセイストになろうと思ったんです。でも、新人漫画家募集っていうのはありますけど、新人エッセイスト募集なんていうのはないですからね。それで調べたら、エッセイというのは俳優とか、小説家だとか、アイドルとか、漫画家なんかが書いているんです。そうか、だったら、やっぱり漫画家になっておかないとって(笑)。

周防　それで、『もものかんづめ』やこの『さるのこしかけ』といったシリーズが生まれたんですね。なるほど。漫画家になったことが役に立ったというわけですね。それに、さくらさんの場合は、子供の頃の家庭環境だけでなく、その後も、結婚、出産、離婚とか、いろいろ体験を積んでいるから、そのすべてが、エッセイに生きてくるんでしょうね。

さくら　もう離婚の時は、大変でしたよ。すごく辛い時期でも、離婚の準備が整うまでずっと仕事してましたから。何年間も泣きながらおもしろいことを考えてましたからね。でも、この体験もかなりの精神的トレーニングになったかもしれませんね。よく、女は母親になると強くなるとか言われてますけど、出産も肉体と精神の両方に大変な辛さがありますから、いろんな面でのトレーニングになるんだろうなァと思いますね。

周防　結婚も出産もエネルギーがいるけど、離婚はもっとエネルギーがいるんじゃないですかね。

さくら　いりますよ、ほんとうに（笑）。

周防　覚悟しておこう（笑）。

すごく会いたい、会いたくない

さくら　後から考えてみると、そうか、そんなこともあったんだよねって思うことがありませんか。

周防　ある、ある。そうそう、あの時、自分は昔、こんな人とじかに会っていたんだって思うこともあります。『Ｓｈａｌｌ　ｗｅ　ダンス？』のアメリカでのキャンペーンの時に、僕はローレン・バコールとかライザ・ミネリなんかと踊っているんですよ。信じられないもの、いま思っても。「すごいよ、いったい何だったんだろう、あれ」って思うことを、実はその時にしてきてるんですよね。

さくら　私もポール・マッカートニーと会ったんですよね。私はビートルズのマニアではないけれど、すごい人に会ったんだなァと思いますね。それから、シュルツさんに会ったんですよ。ほら、スヌーピーの原作者。

周防　いつごろですか？

さくら　あれは四年ぐらい前かな。当時、シュルツさんはご病気だったんですけど、私がうかがった時は小康状態で。すごくうれしかったんですけど、今すぐ帰りたいような気持ちになりました。

周防　帰りたい？

さくら　ええ。すごく緊張してたんです。目の前にシュルツさんがいるっていう事が。だから……。

周防　相手がすごければすごいほど、そういう感じになりますね。大好きな人に会う時そうですよね。

さくら　私、英語もしゃべれないし、シュルツさんに「ナイストゥミーチュー」って言いたくても、「ナ、ナナ…」というぐらいな感じで(笑)。それで、私、まる子の絵を描いて持っていったんですよ。そうしたら、シュルツさん、すごく喜んでくれて。「あっ、この子は日本で頑張っている漫画家なんだ。無口だけど、きっとシャイなんだな。うん、気持ちわかるなァ。この子は、きっといい人かもしれない」って思ってくれたみたいで……。あくまで想像ですけど。それで、立ち上がって、スヌーピーの原画を差し出して、私にくれるって言うんですよ。原画ですよ、スヌーピーの。まわりにいたスヌーピーの会社の人なんかびっくりしちゃって。普通は、原画って絶対に保存しておかなければいけないものですからね。それだけではなくて、次に自分の仕事場の机のところに案内してくれて、私を椅子に座らせて、「僕はいつもここで描いているんだよ」って英語で言ってくれて、「記念写真を撮りましょう」とか言って、写真まで撮ったんです。

周防　それはすごい。

さくら　でも、その間じゅう、私としては「どうしよう、どうしよう」って、内心ずっとオロオロしてたんですよ（笑）。それが、その後、二年後ぐらいにシュルッさん、亡くなってしまって、何か、いま思うと、幻の体験だったような気がします。

周防　同じ憧れの人でも、同業者だと緊張しちゃいますね。僕は小津安二郎という監督が好きだったんですけど、もしご存命の時代だったら、僕はそばに行けない感じがしますね。ましてのこと、小津さんが自分のことをどう思っているか、なんて絶対に聞けないですから。

さくら　そう、同業者だとドキドキしちゃう。私、講談社漫画賞を受賞した時のパーティで石ノ森章太郎先生と、赤塚不二夫先生、それに藤子不二雄A先生のお三人にお会いできたんですけど、その先生方三人に囲まれているだけで、もう気が動転していましたね。「手塚治虫先生が生きていらしたら、きっと喜んだと思いますよ」なんて言っていただいて、帰りのタクシーのなかで、もう泣けて、泣けて……。

周防　わかるなぁ、その気持ち。

さくら　その後、気になっていたのは、長谷川町子先生なんです。『ちびまる子ちゃん』

がアニメになって、『サザエさん』の前の時間帯に放映されることになったでしょ。私子供のころから、『サザエさん』が大好きで、長谷川先生にお会いできるものならお会いしたかったんで、フジテレビの人に頼んでみたんです。「あのー、もし、長谷川先生にお会いできる機会があったら、ご挨拶したいんですけど…」って。そうしたら、「いつでも大丈夫ですよ。長谷川先生は、毎月一回は打合せに見えますから、その時にでも声をおかけします」って。「あのー、先生は私のこと、嫌いじゃないでしょうか」「長谷川先生は、とっても喜んでくれてますよ。『ちびまる子ちゃん』と続けて見てくれる人が増えれば、活気づきますねっておっしゃってましたから」って。そしたら、ほんとうにフジテレビの人が声をかけてくれたんですよ。なのに私、急にドキドキしちゃって、「いえ、あの、そんな急じゃなくてもいいんです」なんて言ってるうちに、長谷川先生がお亡くなりになってしまったんです。ああ、会える時にお会いしておかないといけないなって、思いました。

周防　僕も今日、さくらももこさんに会うんで、緊張したんです。嫌われたらどうしようって思って。だから、こうして会えてよかったなと。会える時にお会いしておかないと。うれしいんですよ、だから今日は、とっても（笑）。

神々しくて、近寄りがたい女の話

さくら　そんな、そんな。ところで前からお聞きしたかったんですけど、『Shall we ダンス?』のキャスティングはどうやって決められたんですか。まず最初にこの人に出演してほしいから、こういう役を作ろうとかいうのはあったんですか。

周防　いや、僕はまったくそういうのはないんです。最初、ダンスホールを見学に行ったんですけど、その時に、ああ、こういうホールは由利徹さんとか、清川虹子さんたちの集合体のような空間なんだって直感しましたけどね。いまの若い人には、由利徹とか清川虹子って言っても、ピンとこないかもしれないけれど。ちょっとユニークなおじさん、おばさんたちが集まってるっていう感じだったんですね。それで竹中直人さんとか渡辺えり子さんがまず浮かびましたけどね。ただ、まわりはイメージができましたけど、主役の二人をどんな人にやってもらったらいいか、具体的な顔が浮かばなかったですね。

さくら　そうなんですか。それが役所広司さんと草刈さんになったのは?

周防　役所さんの場合は、プロデューサーから「役所さんでどうですか?」って言われたんですけど、僕としては、カッコよすぎると思ったんですね。会ってみないかと言われて、でも会って断るのも失礼でしょう。そしたら、役所さん側から、断られてもいいからって言ってくれたので、事務所に行ったんです。それで約束の日、エレベーターに乗ったら、ダサイ感じのおじさんが乗ってきたんですね。それが役所さんだったんです。ああ、休日のサラリーマン親父みたいだなぁって思って、それでいっぺんに気にいって、やってもらうことにしたんです。役所さんて、僕と同い年なんですけどね、あの時はかなり親父っぽかった（笑）。この話、何度も言ってるんで役所さんが怒るかもしれないけど……。

さくら　草刈さんの場合は？

周防　草刈が演じた役は、僕はこう考えていたんです。とにかくダンスが踊れなければいけない。そしてもっとも大事なことは、中年サラリーマンがその女性を見て「あっ、素敵だな！」と思うんですけど、とてもじゃないが近寄れないという雰囲気を持った女性でなければならない。それで、プロデューサーに、そういう人をリストアップしておいてくれませんかって頼んでおいたら、一番が彼女だったんです。で、会いました。会ったら、もう即「いい、この近寄りがたさは役にピッタリ！」って思ったんです。僕はシナリオを書きながら、「映画が完成したら、試写会でこの映画の主演女優ときっとダンスを踊るね」なんて、スタッフに冗談で言ってたんですよ。ところが、草刈に会った時、あっ、僕はこの人に『ダンスを踊ってください』とは絶対に言えっこないって思ったんです。そのくらい、近寄りがたかった（笑）。この人の持っている雰囲気では、普通のサラリーマンや中年のおじさんは、食事にだって誘えないだろうって感じだったんです。

さくら　『シコふんじゃった。』のモックンはどうだったんですか？

周防　いや、モックンは前に一度、映画に出てもらっていますから、最初からモックンと相撲という設定で作りました。モックンの裸を見せたら、女性客がたくさん来るっていう陰謀もちょっとはありましたけど、それに相撲そのものが映画になかなかならないって言われてましたから、モックンの裸と組み合わせてみたわけです。気の弱い力士は、竹中さんだって最初から決まっていましたけどね。

さくら　私もドラマの脚本を書いたことがあるんですけど、インド人のお嫁さんがわが家にやってくるという設定だったんで、最初は自分で勝手にインド人の嫁のイメージを考えて進めていたんですけど、鷲尾いさ子さんがその役をやることに決まって。

で、鷲尾さんに会ったら、すごくかわいいインドのお嫁さんになるって思ってストーリーが少し変わってしまったこともありました。ですから、キャスティングって大事だなって、その時思いましたね。

周防　それはね、監督も脚本家も100パーセント万能ではないっていうことなんだと思いますよ。キャスティングを最初から考えた脚本ができあがっても、自分の思った通りにならないかもしれないし、逆に、思ってもいなかった人がキャストに入ったために、逆に「あっ、こんなにおもしろいんだ」と自分で書いたのにもかかわらず、一瞬、ものすごく喜んだりすることがありますからね。

ああ、私はババくさい！

さくら　いままでで、とても印象に残った俳優さんはいますか？

周防　笠智衆さんですね。自分の作った映画ではないですけど。

さくら　あっ、私も大好きです！　あんなに品がよくて、かわいらしいおじいちゃんはいないですよ。うちのおじいさんは、とても意地悪だったから、特にそう思う（笑）。

周防　伊丹十三監督の『マルサの女2』のメイキングビデオを監督した時なんですけど、

笠さんの出演日に僕はどうしても自分でビデオカメラを回したくて、メイキングのカメラマンに頼んで撮影させてもらったんですよ。よかったなぁ、フレームのなかの笠さん。

さくら　わっ、そのビデオ、ありますか？

周防　ありますよ。

さくら　それ、できたら貸してください。わーっ、うれしい。

周防　ほんと、よかった。話もできましたしね。僕は大学時代から「年をとったら、笠智衆のようになる」なんて言ってたくらいですから。

さくら　目標としては、いいんじゃないですか。私は、飯田蝶子みたいになりたい。若大将シリーズに出てくるおばあちゃん。

周防　すき焼き屋の。

さくら　ええ、理想なんです、私の。なんか、いつも世話を焼いてる感じが、私に似てるなと思って（笑）。実際、何人かの人にも、「さくらさんは飯田蝶子に似てるね」って言われたりしたんで、自分でも「ああ、そうかもしれない」って思って。

周防　ちょっと待ってください。どういう意味ですか。似ているって。ムードですか。

飯田蝶子を知らない人には、この会話はまったくわからない（笑）。

さくら　何かね、雰囲気が似てるみたいなんですよ。世話を焼く感じとか。

周防　ということは、失礼をかえりみずに言うと、さくらさんは子供の時から、ばばくさかったということですか。

さくら　ええ、ばばくさいって、言われてました。

周防　小学生の時代から飯田蝶子化していたわけですね。

さくら　ええ、それから、浦辺粂子化もしていました。

周防　わー、出たァ。浦辺粂子。もう、いまの若い人は、そんな人の名前を言われてもわからないんじゃないですか。浦辺粂子かぁ。僕の母方の祖母は、浦辺粂子そっくりでしたよ。ということは、僕の母親も浦辺粂子みたいになるということですかね。

さくら　いえ、浦辺粂子化するのには、かなり時間が必要です。飯田蝶子も浦辺粂子も若い時から、おばあちゃんでしたから。

周防　なるほど。役者が若い時からお年寄りの役ができたっていうことは、そういうことですね。笠智衆さんもそうですからね。若い時から老け役をやってましたから。

さくら　そうなんです。そこが大事なんですね。若い時から、そういう老成した雰囲気を漂わせていないと、簡単にはみんなが憧れる年寄りにはなれません。私なんか小学生の頃から、飯田蝶子化してましたから。ばばくさいって、小さいころから言われていないと、いけないいんです。たとえば、子供の時から、ジュースやコーラよりもお茶が好きだったり、あと、盆栽なんか、私はとっても気に入ってましたから。あとひなたぼっことか、落語を聞いたりするのが好きだったり……。

周防　うーむ、かなり、さくらさんのそのばばくささは筋金入りだ。その小学生が次第に飯田蝶子化してきたわけですね。進化じゃないな、老化だな。

さくら　あと、漫才。漫才なんか、漫才ブームが起きる前から、見てましたから。

周防　趣味で？

さくら　いえ、別に趣味として見ていたわけではないいんですけど、まあ、やっていれば見ているっていう感じでしたね。周防さんは笠智衆化したのは、いつごろからですか？

周防　将来ね、そういう年寄りになりたいっていう意味で。18才頃から憧れてたけど、いまだ笠智衆には少しもなってないですね。ただ僕も落語は好きだったですね。それで、映画を作っていて、ふと思ったことですけど、もし自分に才能があるとしたら、それは自分が子供のころ、人に喜んでもらうのが好きだったことがかなり影響しているんじゃないかって、思うんです。人が笑ってくれることを、幸せだと感じる気持ちが子供の時からあったんですね。その笑いのコツを学んできたことが、いま、結構役に立っているかもしれないですね。サービス精神とかね。

さくら　私もそうです。私の書いたものに笑いがなかったら、私の作品として成り立たないですもん。

周防　楽しいだろうな。自分が書いたものを人が読んで、笑っているのを見るって、すごく幸せなことだと思いますよ。僕も『もものかんづめ』を読んで、電車のなかでゲラゲラ笑いましたからね。

さくら　ありがとうございます。私自身、笑いの要素がないものには興味がないんで、今後もこのまま笑いの路線でずっといきたいと思っているんですが。面白いのが好きなんで。

周防　私も、これから、どんどん笑かしますから、さくらさんも飯田蝶子にぐんぐんなって、笑かしてください。

さくら　浦辺粂子化もしてみたい（笑）。

周防　さくらさんがインドに取材に行かれて、疲れるほんとうの理由がいまよくわかりました。年寄りには、インドは向かないですから（笑）。

OMAKE

作者紹介
血液型・A
性格・楽天的
生まれ・清水市
生年月日・S40・5・8
持病・肩こり
シャープペン・11年同じものを愛用
よく蚊にさされる
MOMOKO・SAKURA

この作品は一九九二年七月二〇日、集英社から刊行されました。
日本音楽著作権協会(出)許諾第〇二〇一七六六―四二四号

集英社文庫

さるのこしかけ

2002年 3 月25日　第 1 刷
2024年11月 6 日　第24刷

定価はカバーに表示してあります。

著　者　さくらももこ
発行者　樋口尚也
発行所　株式会社 集英社
東京都千代田区一ツ橋2-5-10　〒101-8050
電話　【編集部】03-3230-6095
【読者係】03-3230-6080
【販売部】03-3230-6393（書店専用）
印　刷　中央精版印刷株式会社　株式会社美松堂
製　本　中央精版印刷株式会社

フォーマットデザイン　アリヤマデザインストア　　マークデザイン　居山浩二

ISBN978-4-08-747420-6 C0195